Johannes Urzidil

Da geht Kafka

Johannes Urzidil

Da geht Kafka

Langen Müller

Besuchen Sie uns im Internet unter
http://www.langen-mueller-verlag.de

Erstmals erschienen 1965 bei Artemis Verlags-AG, Zürich

Umschlaggestaltung: Wolfgang Heinzel, München
Umschlagmotiv: akg-images, Berlin
Herstellung und Satz: VerlagsService Dr. Helmut Neuberger
& Karl Schaumann GmbH, Heimstetten
Gesetzt aus der 11,4/14 Punkt Adobe-Garamond
Druck und Binden: Ueberreuter Buchproduktion, Korneuburg
Printed in Austria
ISBN 3-7844-2945-9

Inhalt

I Im Prag des Expressionismus

Wie kam es dazu, daß deutsche Dichtung und Literatur in den zehner und zwanziger Jahren unseres Jahrhunderts gerade in Prag mit so besonderer Kraft und Originalität gedeihen konnten? Welches Aggregat von Lebenskräften hatte an dieser dichterisch erfüllten und schöpferischen Atmosphäre Anteil? Ich sollte es wissen, denn ich wurde dort geboren, wuchs dort auf und war Zeuge und Teilnehmer jener mit weltweiten Ideen, immer neuen Formen und sittlichen Begeisterungen erfüllten deutschen Prager Geisteswelt. Aber ein rasches und eindeutiges Urteil über die Gründe dieser Erscheinung kann nicht gefällt werden, und die sozialen, biologischen oder sonst im Materiellen wurzelnden Voraussetzungen können mir nur teilweise behilflich sein. Ein Phänomen wie die Ansammlung einer auffallend großen Zahl schöpferischer Persönlichkeiten höchsten, hohen oder zumindest sehr beachtlichen Ranges während einer verhältnismäßig kurzen Zeitspanne auf dem engen Raum einer Stadt (wie ähnlich einst in Weimar oder in Concord, Massachusetts) ist in der Hauptsache immer etwas Sublimes und Metaphysisches. Die meisten der Prager deutschen Autoren waren Juden, aber sie waren von ihrer jüdischen Zugehörigkeit nur fallweise durchdrungen. Ihr deutsches Sprachbewußtsein bestimmte ihr Geschichtsbewußtsein stärker, als dies etwa ihr Stammesbewußtsein vermochte (um hier Begriffe zu verwenden, die der Prager Philosoph Felix Weltsch sehr überzeugend in einer Studie über Kafka aufgestellt hat). Eine gewisse, aber auch nur unvollkommene Stütze mag mir bei meiner Betrachtung die Idee der Gestalt und Gestaltsqualität bieten, die ja übrigens auch in Prag von meinem Lehrer Christian Freiherr von Ehrenfels und später durch den Prager Max Wertheimer entscheidend entwickelt wurde. Sie noch am ehesten ermöglicht den erkennenden Anblick des Geheimnisses einer literarischen Physiognomie, deren disparate Einzelzüge sich zu einer unanalysierbaren Gesamtschönheit vereinigen.

Die Prager deutschen Dichter und Schriftsteller hatten gleichzeitigen Zugang zu mindestens vier ethnischen Quellen: dem Deutschtum selbstverständlich, dem sie kulturell und sprachlich angehörten; dem Tschechentum, das sie überall als Lebenselement umgab; dem Judentum, auch wenn sie selbst nicht Juden waren, da es einen geschichtlichen, allenthalben fühlbaren Hauptfaktor der Stadt bildete; und dem Österreichertum, darin sie alle geboren und erzogen waren und das sie schicksalhaft mitbestimmte, sie mochten es nun bejahen oder auch dieses oder jenes daran auszusetzen haben. Jeder dieser Quellpunkte nun bezog seine Dynamik aus zwei Sphären: aus dem ortsgebundenen Pragertum und aus dem zentripetal anflutenden Böhmentum. Dieses wiederum bestand aus den teils ansässig gewordenen, teils von der deutschen Universität herangezogenen Sudetendeutschen; aus einem Grundstock tschechischen Landvolkes, das nach der Landeshauptstadt, später Staatshauptstadt, gravitierte; aus tschechischen oder auch deutschen Landjuden, die als mittlere Gutsbesitzer oder Gutspächter einen besonderen Typus darstellten; dann aber aus dem eingeborenen böhmischen, zum Teil auch tschechisch betonten österreichischen Adel (sowie dem deutsch, das heißt österreichisch katexochen empfindenden) mit seinen Palais in der Stadt und seinen prächtigen Landsitzen rundum in Böhmen, uralt und in manchen Fällen sogar noch in die Zeit der Přemysliden-Könige zurückreichend, einem Adel also, dem selbst die Habsburger als relative Neuankömmlinge erscheinen mochten. All dies wirkte zusammen, mit alledem fand sich ein Dichter konfrontiert und geriet dadurch sehr bald aus der Sphäre örtlicher Gebundenheiten in die des Grundsätzlichen.

Tschechische Dichter und Schriftsteller, noch tief verstrickt in ihre nationalen Bestandskämpfe, konnten sich solcher Grundsätzlichkeit nicht anheimgeben, obschon sich Vorzeichen hiefür in der Literatur bei den Brüdern Josef und Karel Čapek, bei mehreren eine gewisse Weltweite anstrebenden bildenden Künstlern und in der tschechischen modernen Musik ankündigten, jener Ausdrucksform also, die am ehesten und unmittelbarsten unter Beibehaltung des nationalen Stigmas ein künstlerisches Weltbürgertum erreichen konnte. Deshalb waren auch die persönlichen Beziehungen der Prager deutschen Dichter und Schriftsteller zu den tschechischen Malern und Musikern lebhafter als die zu den tschechischen Autoren. Die geradezu groteske Sprachbarriere wirkte dabei auch noch mit. Nicht alle deutschen Literaten waren mit der tschechischen Sprache vollkommen vertraut (obwohl das von den Juden unter ihnen weitgehend gelten konnte), und nur wenige tschechische Autoren sprachen Deutsch oder mochten es sprechen.

Für die deutsch schreibenden Prager bildete die zuweilen freundschaftliche, zumeist politisch turbulente und streitlustige – von antisemitischen Anwandlungen auch tschechischerseits nicht völlig freie – Symbiose und Wechselwirkung, dieses Durcheinanderglühen des alchemistischen Prager Schmelztiegels, die causa causarum eines literarischen Freimuts, der sich sehr bald seinen dichterischen Ausdruck in allen Rängen schuf und für den um jene Zeit die Bewegung, die man Expressionismus nannte, ein machtvolles Entbindungsmittel darstellte. Denn vermöge seines nationalen, sozialen und konfessionellen Facettenreichtums bot ihnen Prag in der Tat das geistige Potential einer Groß- und Weltstadt, viel brillanter als so manche weit volkreichere europäische Metropole.

Zwar hatte in Prag schon vormals ein deutschsprachiges literarisches Eigenleben bestanden, und wir können seinen Spuren sehr genau folgen, wenn wir den Verbindungen Goethes mit Böhmen nachgehen und in der Folgezeit dem Schaffen der »Achtundvierziger« sowie noch später dem der Dichter der »liberalen Ära«, die mit Friedrich Adler und Hugo Salus noch in meine Jugendentwicklung herüberreichte. Auch Rilke wurde jener »liberalen Ära« noch mancherlei schuldig, doch leitete er zugleich den Ausbruch der Deutschprager Dichter ins Europäische ein. Seit Rilke datiert die Epoche, deren Leistungen dann unter dem entscheidenden Einfluß Max Brods durch Kafka und Werfel eine mondiale Streuung erlangten. Derartiges war vorher aus Prag nicht gekommen, obwohl während des ganzen 19. Jahrhunderts dort so viel Deutsch gesprochen wurde, daß die hunderttürmige goldene Hauptstadt der Tschechen oberflächlicherweise manchen Unwissenden beinahe schon als »deutsche Stadt« galt, eine Mißdeutung, die später bittere Folgen haben sollte.

Rilke hatte die tschechische Umwelt nachhaltig vom Volkstum aus erlebt. »Böhmischen Volkes Weise« klang ihm im Ohr und mag sich mancher Wortformung und Satzwendung bei ihm mitgeteilt haben. Das ist Schicksal, dem sich keiner in keinem Lande entziehen kann noch soll, denn es ist auch Bereicherung des eigenen. Aber Rilke wandte sich zeitig von Prag ab. Mit den Menschen und den Geschicken der

Stadt und des Landes hat er zu wenig gelebt, Schmerz und Glück zu wenig mit ihnen geteilt. Das aber konnte nicht von Paul Leppin oder Franz Werfel, nicht von Paul Kornfeld oder Max Brod, nicht von Felix Weltsch, dem philosophischen Kopf, nicht von dem religionsweisen Hugo Bergmann, von Willy Haas, dem kritischen Mentor, oder Egon Erwin Kisch, dem »rasenden Reporter«, gelten. Und selbstverständlich am allerwenigsten von Franz Kafka, in dem Prag daheim ist wie Zürich in Keller oder Concord in Thoreau. Alle genannten Prager lebten mit der Stadt, verdankten ihr das Beste, wurden Zeugen der ansteigenden politischen Vehemenz der Tschechen, des immer mehr nachlassenden Lebenswillens der Habsburger Monarchie, zugleich aber im Gelände der deutschen Literatur, das sie geistig mitbewohnten, der Befreiung der literarischen Ausdruckskräfte von den Residuen der Baumbach-Ära.Bei diesem revolutionären Prozeß konnten sie gerade in Prag übernationaler sein als wo immer sonst in deutschen Landen.

Sprachlich und atmosphärisch verfügten sie über einen direkteren Zugang zu den großen Russen. Ich las zum Beispiel Tolstoj und Dostojewskij nicht bloß in deutscher Übersetzung, sondern auch tschechisch, und das bedeutet, diese Autoren nicht nur vermöge des Verstandes, sondern gleichsam aus einem verwandten Herzen heraus zu begreifen. Die moderne tschechische Malerei, radikal und kühn vorstoßend, riß weite Sichten nach Frankreich auf. Die ungeheuere natürliche Musikalität der Tschechen umgab uns, und die besten Zeugnisse des in Prag lange gepflegten, nun aber schon hinsinkenden Wagnerismus wurden bereits von den Schöpfungen einer durch Alexander von Zemlinsky, den Lehrer und Schwager Schönbergs, heraufgeführten neuen musikalischen Epoche überboten. Freilich konnten und wollten wir uns den Wirkungen Hauptmanns und Wedekinds im Drama, denen Georges und Hofmannsthals in der Lyrik nicht entziehen, aber Prag blieb eine autochthone, noch mehr: eine geistig autarke Welt, die zum Beispiel ein Karl Kraus – obschon selbst aus Mittelböhmen stammend – von Wien aus überhaupt nicht mehr verstand und jedenfalls völlig verkannte.

Aber nicht mehr der sentimentale Zauber Prags konnte die dichterischen Emotionen der dortigen deutschen Expressionisten auslösen (wie er mit gotischer und barocker Magie noch die Verse der Adler und Salus getönt hatte), sondern das realistische Leben, das sich Verwandelnde, darin die Gottheit ist, das Soziale, das Humane und Weltfreundschaftliche, das schlechthin Europäische, zu dem gerade diese Stadt der unaufhörlichen kämpferischen Antithesen stündlich herausforderte. Unter solche Forderung waren die Deutschprager Dichter viel entschiedener gestellt als die auf ihr Nationalgefühl verpflichteten Tschechen oder die Sudetendeutschen draußen im Lande. (Ich redigierte eine Zeitlang eine literarische Zeitschrift, die ich geradezu ›Der Mensch‹ benannt hatte und die als gemeinsame weltbürgerliche Tribüne deutscher und tschechischer Dichter beabsichtigt war. Sie hielt sich freilich nur ein knappes Jahr, denn »was ist vom Menschen und könnte dauern?«.)

Prag war die Stadt der Raconteure, der magischen Realisten, der Erzähler mit exakter Phantasie. Gewiß war Werfel ein weithin vernehmbarer lyrischer Herold und der ethisch respektgebietende Rudolf Fuchs ein reiner, tiefgründiger Lyriker. Gewiß war Paul Kornfeld einer der Protagonisten des expressionistischen Dramas. Aber die Entscheidungen von größter Tragweite wurden in der Prager deutschen Prosa getroffen. Sie drang am wirksamsten in der Welt vor, sie war frei von einengendem Provinzialismus und verfügte über den weitesten Gesichtskreis, an dem auch sehr bald diejenigen Autoren Anteil hatten, die von außen in das Prager Magnetfeld gelangten, wie etwa Ernst Weiss, Hermann Ungar und Ludwig Winder (alle drei aus Mähren), Oskar Baum oder Melchior Vischer (beide aus Innerböhmen). Im Prag jener Phase entwickelten sie sich zu Exponenten einer anzufordernden allgemeinen Geistes- und Weltfreiheit.

So, wie ich jenes Prag heute noch vor Augen habe, erscheint es mir im wesentlichen als kafkaeske Stadt. Das mag heutigentags selbstverständlich und fast trivial klingen, aber ich – und nicht nur ich – fühlte das bereits, als Kafka dort noch mit uns weilte. Obzwar Prag in Kafkas Werk höchstens in gelegentlichen Umschreibungen deutlich wird, ist es doch überall in den

Schriften enthalten, wie das Salz jenes buddhistischen Gleichnisses im Wasser. Obzwar das Salz als solches nicht sichtbar wird, schmeckt dennoch das Wasser ganz und gar salzig. So ließe sich in jeder Gestalt, jeder Situation, jeder Milieuschilderung Kafkas das Pragerische nachweisen. Nur ein Beispiel: ›Die Verwandlung‹, nach deren Erscheinen Kafka zu dem Vater meiner Frau, Professor Karl Thieberger, den er auf der Straße traf, bemerkte: »Was sagen Sie zu den schrecklichen Dingen, die sich in unserem Haus abspielen?« Wer das für einen bloßen Scherz hielte, der weiß eben nichts von Kafka. Es war – wie fast alles bei ihm – zwar Ironie, aber eben nicht bloße Ironie, sondern zugleich ernster Realismus.

Zur Zeit der Hauptproduktion Kafkas war Prag am typischsten Prag und auch am typischsten kafkaesk. Man kann die eigentliche Essenz jenes Prag durch Kafka vollkommener begreifen und definieren als durch jeden anderen Autor, ganz bestimmt aber eher durch ihn als durch jedwedes tschechische Werk jener Zeit, obwohl ein solches prädestiniert scheinen müßte, Prag darzustellen. Das ist vielleicht auch einer der unwillkürlichen Gründe dafür, daß auf tschechischer Seite immer wieder Versuche gemacht werden, Kafka als eine Art verhohlenen Tschechen darzustellen und ihn aus der deutschen Literatur zu eskamotieren, wobei unter anderem die amerikanische Begriffsbestimmung der Nationalität nach dem Geburtsstaat solchen Bestrebungen unvermerkt dadurch dienlich ist, daß sie Kafka zuweilen als »Czech writer« bezeichnet. Das ist natürlich barer Unsinn, denn ein Schriftsteller gehört zur geistigen Repräsentanz der Sprache, in der er denkt und schreibt. (Wenn Kafka einmal an seine tschechische Freundin Milena Jesenská schrieb: »Deutsch ist meine Muttersprache und deshalb mir natürlich, aber das Tschechische ist mir viel herzlicher« – so muß man bedenken, daß dieser Satz nicht als »literarische« Aussage zu bewerten, sondern an eine tschechische Geliebte gerichtet und auf diese abgestimmt ist. Auch für den Prager Rilke hatte das Tschechische zweifellos einen »herzlichen« Klang, den es in der Tat für jeden hat, der diese Sprache vom Volke aus kennt und womöglich [wie eben Kafka, Rilke, Brod oder auch der Verfasser dieser Betrachtungen] in tschechischer Umwelt aufwuchs oder die Sprache selbst zu sprechen weiß.)

Unser oft genug gelästertes, zwar nicht akzent-, aber durchaus dialektfreies Prager Deutsch konnte sich seit dem Mittelalter auf der Prager Sprachinsel unversehrt erhalten, eben weil es den verschleifenden und dialektisierenden Einwirkungen des Provinzialen und Landschaftlichen nicht unterworfen war. Das war für die Literatur ein einzigartiger Segen. Denn wir Prager Deutschen dichteten und dichten noch immer in der Sprache, in der wir leben und die wir auch tagsüber sprechen. Das galt schon von Karl Egon Ebert ebenso wie von Rainer Maria Rilke und von Egon Erwin Kisch. Zwischen Dichtung und Lebenssprache bestand für die Deutschprager niemals eine Kluft, kein inneres – wenn auch noch so unbewußt vollzogenes – Umschalten ist nötig. Diese völlige Koinzidenz der Sprache des Lebens mit der des Dichtens ist wahrscheinlich das stärkste Form- und Wirkungsgeheimnis der Prager und besonders gerade Kafkas. Wer ihn als Menschen sprechen hörte, der hört ihn auch bis in die kleinste Nuance aus jeder seiner Zeilen. Dies ist das Geheimnis einer inneren Identität, die wir Prager so lange als möglich gehütet haben und die mit uns Letzten entschwindet.

II Edison und Kafka

In Prag gab es ein Kaffeehaus »Edison«. Herr Turnovsky, Vater eines meiner älteren Mitschüler, war der Eigentümer. Der amerikanische Erfinder, der 1911 in Prag weilte und von einem Fenstertisch aus das Treiben auf dem Wenzelsplatz zu beobachten liebte, hatte Herrn Turnovsky gestattet, sein Lokal fortan »Edison« zu nennen. An der Wand über dem Tisch hing ein großes Lichtbild des »Weisen von Menlo Park«, geschmückt mit dessen eigenhändiger Unterschrift. Unter diesem Bild saß ich einmal mit Kafka. »Ein denkwürdiges Dokument«, sagte dieser ernst und zugleich mit jener leisen Ironie, die auch dem Ernstesten bei ihm anhaftete. (Man mußte auf der Hut sein, denn zuweilen sagte er auch Ironisches ironisch, nicht um es zu unterstreichen, sondern um es gleichsam aufzuheben.)

Amerikaner kamen dazumal nur selten nach Böhmen. Die meisten von ihnen besuchten Karlsbad und Marienbad, und einige kamen dann wohl auch nach Prag. Der Besuch Edisons mußte freilich besonders auffallen. Er war damals schon ein älterer Herr mit energisch geprägtem, echt amerikanischem Gesicht, zugleich mit etwas Künstlerischem in seinem Gehaben, etwas Prometheischem, das dem Lichtbringer, dem praktischen Genie mit seinen 1200 Patenten wohl anstand. Kafka trug in sein Tagebuch (11. November 1911) die Bemerkung ein, Edison habe »in einem amerikanischen Interview über seine Reise durch Böhmen erzählt, seiner Meinung nach beruhe die verhältnismäßig höhere Entwicklung Böhmens darauf, daß die Auswanderung der Tschechen nach Amerika so groß ist und daß die einzelweise Zurückkehrenden neues Streben von dort mitbringen«. Diese Schlußfolgerung war wohl nur zu geringem Grade richtig. Hauptsächlich mochte sie darauf zurückgehen, daß einer der liebsten Mitarbeiter Edisons, der Prager Ingenieur Kolben, aus Amerika in seine Heimat zurückgekehrt und daselbst in der Industrie sehr bald führend geworden war. Kolben war allerdings kein Tscheche, sondern gehörte – ebenso wie Kafka – dem Prager deutschen Judentum an. Aber auch einen tschechischen Schüler und Freund Edisons gab es in Prag, den Ingenieur František Křižík, der in Prag die Bogenlampe als Straßenbeleuchtung eingeführt und dort auch die erste elektrische Straßenbahn erbaut hatte. Daß ich mit Kafka unter jenem Edisonbildnis saß, war übrigens nur zufällig; denn Kafka besuchte Kaffeehäuser nur selten. Aber er kam doch zuweilen ins »Continental«, ins »Arco« oder eben auch ins »Edison«, und ich entsinne mich noch einer anderen Gelegenheit, wie er unter jenem Edisonbild in größerem Kreis nach einer Vorlesung Ludwig Hardts diesem erstaunlichen Rezitator lauschte, der stundenlang prachtvolle ostjüdische Geschichten zum besten gab.

Kafkas Eintragung über Edison und sein Interesse an seiner Erscheinung war keineswegs beiläufig, sondern gehörte dem Magnetfeld an, das sich dann 1912 in den ersten Skizzen des fragmentarisch gebliebenen Romans ›Der Verschollene‹ auswirkte, von Max Brod postum unter dem Titel ›Amerika‹ veröffentlicht (das Anfangskapitel ›Der Heizer‹ allerdings schon 1913 in der von Kurt Wolff geschaffenen Reihe ›Der jüngste Tag‹). Die wichtigste zu diesem Roman gehörende Amerikaaufzeichnung Kafkas ist die Tagebucheintragung ›Traum‹ vom 11. September 1912. Der Träumer, das heißt Kafka, erlebt sich selbst mitten im Hafen von New York. »Der Himmel war grau, aber gleichmäßig hell. Ich drehte mich, frei der Luft von allen Seiten ausgesetzt, auf meinem Platz (einer aus Quadern weit ins Meer hinausgebauten Landzunge) hin und her, um alles sehen zu können. Gegen New York zu ging der Blick ein wenig in die Tiefe, gegen das Meer zu ging er empor. Nun bemerkte ich auch, daß das Wasser neben uns hohe Wellen schlug und ein ungeheuer fremdländischer Verkehr sich auf ihm abwickelte. In Erinnerung ist mir nur, daß statt unserer Flöße lange Stämme zu einem riesigen runden Bündel zusammengeschnürt waren, das in der Fahrt immer wieder mit der Schnittfläche je nach der Höhe der Wellen mehr oder weniger auftauchte und dabei auch noch der Länge nach sich in dem Wasser wälzte. Ich setzte mich, zog die Füße an mich, zuckte vor Vergnügen, grub mich vor Behagen förmlich in den Boden ein und sagte: ›Das ist ja noch interessanter als der Verkehr auf dem Pariser Boulevard.‹«

Diese Traumvision bildet die Erlebnisparallele des turbulenten Hafenbildes der Einfahrt in New York in ›Der Heizer‹, zu dem anschauliche persönliche Berichte von Amerikabesuchern, aber bestimmt auch die Beschreibung der Ankunft in New York in den ›American Notes‹ von Charles Dickens beigetragen haben. Kafka wünschte ja auch, das Buch möchte wie ein Dickens-Roman zu lesen sein, »nur bereichert um die schärferen Lichter, die ich der Zeit entnommen, und die matteren, die ich selbst aufgesteckt hätte«. Den wichtigsten Beitrag freilich lieferte Kafkas »exakte Phantasie«, die sich besonders an dem »ungeheuer fremdländischen Verkehr« entzündete, der in ›Der Heizer‹ lustvoll beschrieben wird. Seine Imaginationen waren so korrekt, daß er in ›Der Verschollene‹ die doch von ihm nie wirklich gesehenen amerikanischen Autobahnen mit einem ebenso gewaltigen wie völlig zutreffenden Bild kennzeichnet: »Ein mächtiges Licht, das immer wieder von der Menge der Gegenstände verstreut, fortgetragen und wieder eifrig herbeigebracht wird und das dem betörten Auge so körperlich erscheint, als werde über dieser Straße eine alles bedeckende Glasscheibe jeden Augenblick immer wieder mit aller Kraft zerschlagen.« Hier werden in der Metapher Riesenmassen aufgespeicherter natürlicher und technischer Energien entbunden, und wer amerikanische Highways kennt, wird die Echtheit dieser vehementen Vision bestätigen.

Nicht minder gegenständlich ist Kafkas Darstellung der Verkehrsdichte New Yorks. Es ist, als hätte er die Metropole jetzt, fünfzig Jahre später, genauest studiert. »Straßen, wo das Publikum in großer, unverhüllter Furcht vor Verspätung in fliegendem Schritt und in Fahrzeugen, die zu möglichster Eile gebracht waren, vorwärts drängte ... riesenhafte Wagen, so auffällig in ihrem Bau und so kurz in ihrer Erscheinung, daß man nicht Zeit hatte, auch nur das Vorhandensein von Insassen zu bemerken ... Kolonnen von Fuhrwerken, die in fünf die ganze Breite der Straße einnehmenden Reihen so ununterbrochen dahinzogen, daß niemand die Straße hätte überqueren können ... wenn an einzelnen Stellen infolge allzugroßen Andrangs von den Seiten her Umstellungen vorgenommen werden mußten, stockten die ganzen Reihen und fuhren nur Schritt für Schritt ... Dann aber kam es vor, daß für ein Weilchen alles blitzschnell vorbeijagte, bis es, wie von einer einzigen Bremse regiert, sich wieder besänftigte.« Ein anderes konkretes Bild: »Die Brücke, die New York mit Brooklyn verbindet, hing zart über dem East River, und sie erzitterte, wenn man die Augen klein machte. Sie schien« – im Vogelschaubild – »ganz ohne Verkehr zu sein, und unter ihr spannte sich das glatte Wasserband.« Die psychophysische Prägnanz dieser Bilder entspricht der klaren

Sicht soziologischer Phänomene, so daß Kafka zum Beispiel die Umstände eines amerikanischen Liftboys in den Tatsachen nicht nur eindrucksvoll, sondern sogar richtiger schildert als etwa Theodore Dreiser, der doch auf Grund persönlicher Anschauung und als Amerikaner schrieb. Wenn aber Kafka in den Eingangszeilen von ›Der Heizer‹ die Freiheitsstatue ein Schwert zücken läßt anstatt der wirklichen Lampe, so war das keineswegs ein *lapsus calami* oder gar *visionis*, sondern eine symbolische Absicht, ein Dahinterblicken ähnlich dem Hawthornes (in seiner Einleitung zu ›Der scharlachrote Buchstabe‹) bei Betrachtung des amerikanischen Wappenadlers über dem Zollhaus seiner Heimatstadt Salem in Massachusetts.

In Kafkas erstem Buch, ›Betrachtung‹ (1912), tauchen bereits amerikanische Anspielungen auf. Da ist der in einen einzigen dichten Satz gebannte Wunschtraum, »Indianer zu werden« (dem sich eine Tagebuchnotiz über Kämpfe zwischen Indianern und amerikanischen Regierungstruppen gesellen ließe), oder die Antwort eines schönen Mädchens, das einem Anwärter auf ihre Gunst vorhält: »Du bist kein breiter Amerikaner mit indianischem Wuchs, mit waagrecht ruhenden Augen, mit einer von der Luft der Rasenplätze und der sie durchströmenden Flüsse massierten Haut; du hast keine Reisen gemacht zu den großen Seen und auf ihnen. Also bitte, warum soll ich, ein schönes Mädchen, mit dir gehen?« Ironisch gemeint? Gewiß. Aber ebenso wehmütig ernst auf sich selbst hinblickend. Zu allem auch noch eine Vorhaltung, mit der besonders mancher Anwärter heute bei einem schönen Mädchen zu rechnen hat. Kafkas Tagebücher enthalten Bemerkungen über die Mädchen New Yorks, jung, berufstätig und hübsch gekleidet; über das Leben eines Warenhausangestellten in Chicago und die dortigen Verhältnisse; über die tschechischen Ansiedler in Nebraska, die amerikanischen Wahlen und das amerikanische Parteiensystem (auf Grund eines von Kafka mit angehörten Vortrags des tschechischen sozialdemokratischen Politikers Soukup); über jemanden, der die Frage stellt, »warum es den Amerikanern so gut geht, obwohl sie bei jedem zweiten Wort fluchen«. Die Erscheinung Benjamin Franklins beschäftigte Kafka außerordentlich, vor allem psychologisch. Aus dem (November 1919) geschriebenen langen ›Brief an den Vater‹ geht hervor, daß Kafka seinem Vater Franklins Autobiographie zu lesen gegeben hatte, um ihm die Wechselbeziehung zwischen Franklin und dessen Vater vorzuführen. (Auch in dem Prosastück ›Elf Söhne‹ spiegelt sich etwas von Franklins klarsichtigem und zugleich liebendem Realismus.)

Kafkas Interesse an Amerika, seine Informiertheit wie sein innerlich erschlossenes dichterisches Wissen um die ferne Welt (in vielem mit jenem Goethes vergleichbar, der den Hafen von Boston auch genau beschreiben konnte und von Amerika mehr wußte, als ihm aus Büchern und persönlichen Berichten zukommen konnte) bilden aber keineswegs die direkte Ursache für das heftige Interesse der Amerikaner an Kafka, dessen Name als literarisches Haushaltwort ebensooft gebraucht und mißbraucht wird wie der Freuds als psychologisches oder der Einsteins als eines Schwurzeugen dafür, »daß alles relativ sei«. Zwar kann man die Befassung mit Kafka heutzutage als ein Weltphänomen bezeichnen (das nunmehr auch fühlbar in den Ländern hinter dem »Eisernen Vorhang« zur Geltung kommt, sogar in Kafkas Geburtsland), aber am stärksten bekunden sich die Einwirkungen Kafkas doch in der angloamerikanischen Sphäre. Ich stutzte schon 1939, als mir im Londoner ›Daily Telegraph‹ mitten in einem Tagesbericht der Ausdruck »Kafkalike« begegnete, also eine selbstverständliche Anwendung des Namens, die seine Gemeinkenntnis beim durchschnittlichen Leser voraussetzte. In Amerika dann stieß ich seit 1941 unablässig und zunehmend auf den Namen Kafkas, nicht nur im Kreise von Schriftstellern oder ein geistiges Leben führenden Menschen. Der Name war ein allgemeiner Begriff geworden für die Seelenproblematik des Individuums innerhalb gewisser von Unsicherheiten aller Art, von unerreichter oder unverarbeiteter Religiosität gequälter Schichten. Sie glauben sich selbst und ihre Ausweglosigkeit in Kafkas Menschen zu erkennen; daß Kafkas eigene Persönlichkeit problematisch war, daß sein autobiographisches Werk über dem Leser immerzu mit aller Kraft sich zersplittert wie das magische Licht über den amerikanischen Highways, drängt introvertierte Naturen zu einem hohen Grad von Identifizierung. Sie übersehen dabei den unbestechlichen Realismus Kafkas, seinen Humor und die herrliche Ironie, mit der er sich über die Erscheinungen zu stellen wußte, um ihnen dadurch den Charakter des Problems zu belassen (eine Anregung Goethes), seinen durchdringenden Blick, der den faxenlosen Urzustand der Dinge und Menschen bloßlegte.

Die Aktualität Kafkas deutet man als einen Beweis für das Zusammentreffen seiner Visionen (von angsterfüllter Ausweglosigkeit inmitten einer kosmischen Bürokratie) mit gewissen qualvollen, keineswegs auf bestimmte Zonen beschränkten Zeiterscheinungen. Seine wahre Größe liegt in der Gültigkeit seiner Bilder. In jeder Metapher ist immer mehr enthalten, als deren Schöpfer beabsichtigte, da ja ein Bild eine autonome Existenz führt und – wenn es echt und exakt ist – von sich aus Bedeutungen entwickelt, für die zur Zeit seiner Entstehung vielleicht noch gar keine äußeren Beziehungsgründe bestanden. So vermöchte etwa Goethe die gegenwärtige Bedeutungstiefe seiner Symbole nicht zu ermessen. Denn sie deuten heute eine ihm noch unvorstellbare Welt. In dieser dauernden Deutungskraft liegt ihre Größe. Das problematisch oder zeiträumlich Gebundene von Symbolen kann sich entbinden und neu verknüpfen. Deshalb haben Brods Deutungen Kafkas in ihrer Art ebensoviel Gültigkeit wie die des um etwa zwei Generationen jüngeren Wilhelm Emrich.

Für den späten Leser mag sich der oft so bedeutsame Anregungspunkt eines Bildes ohne Schaden verlieren. Wer Kafka und seine Umwelt kannte, weiß noch, daß sein Türhüter (in ›Vor dem Gesetz‹) eine direkte Spiegelung der schwerbemantelten, zweispitzgekrönten, bärtigen und grimm dreinblickenden Portiers ist, die mit goldbeknauften Stäben die mächtigen Tore der Prager Adelspaläste bewachten und die Knaben auch nicht einmal von der Seite ins Innere blicken ließen, von wo ein unverlöschlicher höherer Glanz hervorzudringen schien. Die Bedeutung der Dialoge des Türhüters mit dem einlaßbegehrenden Mann vom Lande ist vielfältig und hat sich gewandelt. Kafkas Bilder sind eigentlich keine Bilder, sondern die Realität hinter den Bildern, in denen sich die Welt und das Dasein anbieten. Existenz ist überhaupt nur symbolisch, die Tragik des Symbolseins besteht in seiner unaufhörlichen und vergeblichen Suche danach, was symbolisiert wird. So war Amerika, gerade mit all seinem Realismus, dem er nachhing und den er gestaltete, für Kafka ein Symbol. Das unaufhörliche Suchen aber nach dem Gehalt des Symbols ist auch die unaufhörliche Angst, der sich nur die Ironie rettend entgegenstellen kann. »Mein Wesen ist Angst«, schreibt Kafka (in einem Brief an seine Freundin Milena). Diese Angst endet auch nicht vor den Pforten des Paradieses, ja dort ertönen ihre lautesten Schreie. Der Amerikaner von heute wittert in Kafkas Einsicht in die Seelenstruktur des Individuums mit Recht die triftigste Gesellschaftskritik des Zeitalters. ›Der Verschollene‹

(rechtens ›Amerika‹ benannt und – obschon in völlig anderen problematischen Räumen – die Linie der ›Wanderjahre‹ weiterführend) stellt sich in die Mitte der realistischsten und soziologisch in größten Entscheidungen begriffenen Welt. Deshalb mußte die Aktualität Kafkas so enorm werden, und deshalb lohnt es, sich die scheinbare Antithese Edison-Kafka gegenwärtig zu halten; denn Edison – wie einst Franklin – repräsentiert den amerikanischen Wunschtraum.

Trotz aller Bewunderung empfindet man weder bei Proust noch bei Joyce das »Tua res agitur« so intensiv wie bei Kafka. Der amerikanische Leser fühlt sich aber auch deshalb von ihm so unmittelbar alteriert, weil hinter allen seinen Fragestellungen die große Frage nach der Freiheit sich warnend erhebt, die man bereits beantwortet glaubte. Diese Frage aber ist im tiefsten religiös und nur im Äußeren politisch. Der Besitz mechanischer Apparaturen, um die Welt aus den Angeln zu heben, kann über das wahre Wesen der ›Strafkolonie‹ nicht hinwegtäuschen. In der verzweifelten Suche aber nach dem Platz, wo der verhängnisvolle Hebel anzusetzen wäre, bemerkt man plötzlich, daß man selbst auf ihm sitzt.

Karl Roßmann, der Held von ›Der Heizer‹ und des Romans ›Der Verschollene‹, der auch schon deshalb Fragment bleiben mußte, weil Kafka für ihn ein Happy-End geplant hatte, stammt aus derselben Zeit, in der mir mein Physikprofessor tadelnd vom Katheder zurief: »Solche Menschen wie Sie hat man früher nach Amerika geschickt.« Ich bin freilich etwas später und allerdings auch aus anderen Gründen hingelangt als den vom Physiklehrer als zwingend erachteten. Aber Kafka habe ich dort wieder vorgefunden, lebendig, bewundert, als Geist des Zeitalters erkannt oder auch skeptisch abgewiesen. Vielerlei endlos ineinandergreifende Kafkasche Korridore bot die reale amerikanische Wolkenkratzerwirklichkeit. Die fünf- und sechsjährigen Kinder von Angel Flores, der ›The Kafka Problem‹ herausgab, kamen mir in der Halle seines Hauses mit dem Schrei »Kafka, Kafka« entgegengerannt, als wäre es ein von den endlosen Rasenplätzen der Prärien herüberhallender indianischer Kampfruf, und im Wohnzimmer warteten gleich drei amerikanische Autoren, von denen jeder im Begriffe war, ein Buch über Kafka zu schreiben, und deren Frauen die Tageseinteilung Kafkas in Prag genau gegenwärtig hatten. »Ich hatte mit Kafka einmal um drei Uhr nachmittags beim Pulverturm ein Rendezvous«, begann meine Frau zu erzählen. »Unmöglich«, fiel eine blutjunge Amerikanerin ein, »er hatte doch bis vier Uhr dreißig Amtsstunden in der Arbeiter-Unfallversicherungsanstalt.« So genau wußten die Teenager schon vor zwanzig Jahren über Kafka Bescheid. »Er traf mich aber trotzdem um drei Uhr«, beharrte Gertrude Urzidil, damit andeutend, daß man es mit dem Positiven so genau nicht nehmen, sondern sich mit Ironie darüber erheben müsse, um ihm dadurch den Charakter des Problematischen zu bewahren.

III Das Reich des Unerreichbaren

Kafkas kurzes Prosastück ›Das nächste Dorf‹ bietet sich zunächst als autobiographische Äußerung. Kafka kannte seinen Großvater und überliefert von ihm eine Aussage, wie sie fast ausnahmslos von allen Großvätern der Welt gemacht zu werden pflegt, nämlich: »Das Leben ist kurz.« Da der Großvater – wie alle Menschen – sich sein Leben länger vorgestellt oder gewünscht hatte, als es nun doch zu dauern scheint, qualifiziert er seine Feststellung, indem er die Kürze des Lebens »erstaunlich« findet. »Das Leben ist erstaunlich kurz.« Selbstverständlich hat nur ein Großvater genügend zeitliche Voraussetzungen für eine derartige Erkenntnis. Bis hieher, so scheint es, liefert uns Kafka lediglich das Bild einer behaglichen Familiensituation, so behaglich, wie sie sich in seinem Elternhaus kaum je ergab. Um diese einfache Situation zu etablieren, bedient er sich eines einfachen Satzes. Das Behagliche äußert sich im Iterativen. »Mein Großvater pflegte zu sagen«, man hörte ihm also häufig zu.

Nun aber folgt, was das Vorgebrachte zur Parabel umprägt, zu einer sehr farbenkräftigen Gleichnisrede, zu der sich vorerst das folgende beibringen läßt.

Der achtzigste Spruch des Lao Tse lautet:

»Mag das Land klein sein und wenig Leute haben.
Laß es zehnerlei oder hunderterlei Geräte haben,
ohne sie zu gebrauchen.
Laß die Leute den Tod wichtig nehmen
und nicht in die Ferne schweifen.
Ob auch Schiffe und Wagen vorhanden wären,
sei niemand, der darin fahre.
Ob auch Wehr und Waffen da wären,
sei niemand, der sie verwende.
Laß die Leute wieder Knoten aus Stricken knüpfen
und sie gebrauchen statt der Schrift.
Mach süß ihre Speise
und schön ihre Kleidung,
friedlich ihre Wohnung
und fröhlich ihre Sitten.
Nachbarländer mögen in Sehweite liegen,
daß man den Ruf der Hähne und Hunde gegenseitig
hören kann:
Und doch sollten die Leute in höchstem Alter
sterben,
ohne hin und her gereist zu sein.«

(Zitiert nach Richard Wilhelm)

Was ist für den Chinesen die entscheidende Voraussetzung des goldenen naturnahen Zeitalters, das er als Ideal vorführt? Die Beschränkung auf ein Mindestmaß der Bedürfnisse; daß es unnötig sei, in die Ferne zu schweifen; und daß es richtig sei, selbst bei allerlängster Lebensspanne nicht einmal das nächste Dorf angestrebt zu haben, sei es auch so nahe, daß einen die dortigen Hähne wecken und die Hunde zur Nacht durch Bellen stören. Ovid hat bei der Darstellung seiner ›Aurea Aetas‹ das Fehlen der Reiselust als Tugend hervorgehoben: »Nullaque mortales praeter sua litora norant.« Und von Thoreau stammt die Äußerung, er kenne die Welt gründlich, denn er sei viele Jahre in Concord umhergereist.

Hier sei gleich bemerkt, daß Kafka die Haltungen der Entsagung und des Verzichtes von sich aus nicht einnahm. Sein war die Leidenschaft der Suche und der Flucht, die beiden Daseinsformen virulenten Begehrens, während Entsagung und Verzicht eben eher großväterlich sind. Die Meditation des Großvaters läuft nun dahin, daß sein erstaunlich kurzes (in Wirklichkeit erstaunlich langes) Leben jetzt in der Erinnerung eine merkwürdige Zusammendrängung erfährt. Es ist in diesem Leben so viel vorgegangen, daß es im Erinnerungsraum fast nicht mehr Platz finden kann, so viel, »daß ich zum Beispiel kaum begreife, wie ein junger Mensch sich entschließen kann, ins nächste Dorf zu reiten … «. Man beachte zunächst die Formulierung »zum Beispiel«, die bedeuten kann, es ließe sich auch noch anderes zur Unterstützung meiner Ansicht vorbringen; oder auch: »zum Beispiel begreife ich es kaum«, das heißt, ich begreife es zwar einigermaßen, aber doch nicht vollkommen (eine der Kafkaschen Vorsichtsmaßnahmen beim Vorbringen von Ansichten); oder ich begreife es nur »zum Beispiel kaum«, ich stelle dieses Beispiel meines unzulänglichen großväterlichen Begreifens zur Diskussion und frage: wie kann sich ein junger Mensch entschließen, ins nächste Dorf zu reiten (deutlicher: wie kann sich ein junger Mensch überhaupt entschließen, auch nur ins nächste Dorf zu reiten), ohne zu fürchten, daß – von unglücklichen Zufällen ganz abgesehen (wie also kann er sich entschließen, ohne zu fürchten, wie kann man überhaupt existieren, ohne zu fürchten) – schon die Zeit des gewöhnlichen, glücklich ablaufenden Lebens (wenn es überhaupt Derartiges gibt, aber das Glück wird hier als allgemeine Lokalfarbe des Gewöhnlichen im Kontrast zu den unglücklichen Zufällen eingeführt) für einen solchen Ritt bei weitem nicht hinreicht.

Nicht einmal ein bis zur Großväterlichkeit gedehntes Leben würde also hinreichen, nein, »bei weitem« nicht, denn die Entfernung ist ja, genaugenommen, so unausmeßbar groß und die Zeit so unausmeßbar kurz, daß man während eines solchen Rittes vor Erreichung des Zieles, schiene es auch noch so nahe, sehr wahrscheinlich sterben müßte. Kafka beziehungsweise sein Großvater behauptet keineswegs, daß die Entfernung wirklich so weit und die Zeit wirklich so kurz sei; er sagt lediglich, daß diese Zeit- und Raumvorstellungen der Furcht eines solchen jungen Menschen angehören müßten. Es geht also in diesem Prosastück nicht um das Zusammendrängen der Realität oder gar um die Aufhebung des Zeitbegriffs, nicht um die Kürze des Lebens an sich oder auch nur im Rückblick, nicht um Raumvorstellungen der geographischen Nähe oder Ferne, sondern um die Furcht. Was der Großvater, der nicht mehr handelt, sondern nur noch bedenkt, kaum begreifen zu können glaubt, ist des jungen Menschen Furcht- und Bedenkenlosigkeit, sein ungehemmtes Sich-entschließen-Können. Der Kern der Parabel, die Lehre und Forderung erzählend aufstellt, liegt im Begriff der Verantwortung und kann durch Goethes Satz illustriert werden: »Der Handelnde ist immer gewissenlos; es hat niemand Gewissen als der Betrachtende.«

Die Parabel ist ein großes Staunen. Staunen darüber, daß es Menschen gibt – und offenbar sogar die meisten Menschen –, die ohne Furcht, Bedenken oder Gewissen einen Entschluß und seine Ausführung wagen, Menschen, die gar nicht auf den Gedanken kommen, sich die weitreichenden Ramifikationen und Folgemöglichkeiten ihres Entschlusses mit seiner Ausführung vor Augen zu halten, demgemäß also jenseits der Sittlichkeit agieren und ohne diese auskommen; ja, daß eigentlich das Leben – als Geschehen aufgefaßt – sich außerhalb des Bedenkens vollzieht, ja vollziehen muß, denn nur außerbedenklich kann es überhaupt Farbe haben und Leben genannt werden. Staunen und Bedauern, daß Kafka sich selbst außerhalb dieser lebendigen Wirklichkeit wahrnimmt. In den ›Maximen und Reflexionen‹ vermerkte Goethe: »Es ist nichts Furchtbareres anzuschauen als grenzenlose Tätigkeit ohne Fundament.« Man beachte die Begriffe »Furchtbar« und »Grenzenlos«. Auch Lao Tse schien eine »grenzenlose Tätigkeit« beunruhigend. Menschen, die glücklich sein wollen, sollen möglichst wenig Betrieb veranstalten, denn sie sind den Verantwortungen nicht gewachsen. Um auf Thoreau umzuschalten: Selbst größter Wissensdurst kann auf kleinstem Raum befriedigt werden. Concord reicht aus, um die Welt kennenzulernen, und sogar gründlich. Tolstoj, ein erklärter Geistesverwandter Thoreaus, läßt den Gedanken in seiner Meistererzählung ›Wieviel Erde braucht der Mensch?‹ aufklingen. In Verbindung mit Kafka müßte auch hier Kierkegaard beschworen werden, der seine Religiosität aus den Elementen der Furcht und Verantwortung entwickelt. Es sind ja biblische Elemente. Die Furcht der Dinge und Menschen, der irdischen Phänomene, die Furcht vor sich selbst entbindet sich in der Furcht des Herrn, die als eigentlichste Weisheit angesagt wird; und das Meiden des Bösen ist jene verständige Verantwortung, mit der der Mensch von Anfang an von Gott belehnt wird, die er aber vermöge des bedenkenlosen Handelns im Sündenfall überspringt.

Der Stil des parabolischen Teils der großväterlichen Aussage ist der für Kafka bezeichnende, durch Zwischenschaltungen unterbrochene, gleichsam nicht zu Ende kommende (oder kommen wollende) Satz. Er ist – wie das Leben selbst, das er umfaßt – labyrinthisch und zugleich klar, abstrakt und zugleich konkret, eine realistische Feststellung ohne Pathos. Wie die Welt ist er voll von Einschränkungen und Ausweitungen (»daß ich zum Beispiel kaum begreife« – »ohne zu fürchten« – »ganz abgesehen von« – »schon die Zeit des gewöhnlichen, glücklich ablaufenden Lebens« – »bei weitem nicht hinreicht«). Deutlicher noch als in der Türhütergeschichte zeigt sich im Satz über das nächste Dorf die Parabel als einzig legitime, biblisch unterlegte Form des Amalgams von Jenseits und Diesseits.

Furcht (oder Angst) sind bei Kafka religiöse Affekte und als solche gedankenerzeugend und formgebend, nicht – wie »angustiae« andeutet – drosselnder Engpaß physiologisch bedingter Angst und nicht das Furchthaben der Philister, von dem sich Goethe so deutlich distanzierte (nicht von der Furcht selbst, ohne die niemand leben kann, sondern von der Furcht der Philister, die fürchten, was dem Erkennenden oder Frommen nie furchtbar wäre). Auch Kafkas Tagebuchaufschrei: »Furcht vor der Nacht, Furcht vor der Nicht-Nacht« (18. Oktober 1917) ist keine physiologische, sondern eine religiöse Emotion (Tag als Nicht-Nacht; Nacht als das eigentlich Bestehende). Wenn er (in einem Brief an Milena, aber auch sonst immer wieder in Brief- und Tagebuchstellen) sein eigentliches Wesen als Angst bezeichnet, so haben wir an den göttererzeugenden »timor« des Statius zu denken, an einen produktiven Zustand, denn »niemand singt so rein als die, welche in der tiefsten Hölle sind; was wir für den Gesang der Engel halten, ist ihr Gesang« (an Milena). Solche religiös bedingte, produktive Angst wirkt beim Bau der Chinesischen Mauer oder der endlosen und lebenslangen Maulwurfsgänge, mit denen sich das allegorische, aber auch das wirkliche Tier gegen unabsehbare Bedrohungen zu sichern sucht; sie wirkt auch in den superbürokratischen Daseinslabyrinthen, mit denen sich das Schloß die Dorfleute und den Homo-Landvermesser, der Mensch den Menschen (vermöge der Institutionen und Gerichte im ›Prozeß‹) oder das unabsehbare und inkalkulable Gastland den Einwanderer (im Roßmann-Roman) vom Leibe hält. Und indem die Furcht die Götter, die Gesänge, die Architekturen und die Institutionen hervorbringt, steht sie dauernd unter den verantwortungsschweren Anfechtungen des bedenkenden Gewissens.

Das Problem liegt nun aber so – und das ist aller Hauptkonflikt des Menschen für Kafka wie schon für Kierkegaard –, daß der Mensch durch die Wälle der bewußten Verantwortung gar nicht bis zum Entschluß oder gar zur Tat vordringt, die ihm aber andrerseits auferlegt erscheint, ja, vom Leben um des Lebens willen gefordert wird. Entscheidest du dich nicht, so versäumst du das Leben. Das ist Sünde, denn Leben ist religiöse Pflicht. Willst du dich aber entscheiden, dann ist die Avenue der Verantwortungen, die sich vor dir auftut, so endlos lang, daß du die Entscheidung nicht erreichst. Auch dadurch wirst du sündig. Handelst du aber ohne Entscheidung und Verantwortungsbewußtsein, das heißt jenseits des Gewissens, dann bist du ebenfalls sündig (woran nichts ändert, daß gewisse dialektisch wohlunterkellerte Ideologien das Handeln jenseits des Gewissens auch als jenseits der Sünde erachten). Der Mensch ist nur dadurch Mensch, daß er sich der Problematik des Menschen stellt, die sich aus der Aktivierung seines Verantwortungsbewußtseins ergibt. Der Konflikt kann aber fernöstlich durch Vermeidung des Ritts ins nächste Dorf für uns nicht gelöst werden, denn das goldene Zeitalter vor der Schwelle der Problematik ist dahin, falls es jemals bestand. Der Großvater kann kaum begreifen, wie ein junger Mensch sich entschließen kann, ins nächste Dorf zu reiten, obschon er selbst als junger Mensch es wahrscheinlich getan hatte oder zumindest andere dabei beobachtete. Er selbst (oder die anderen) haben sich vielleicht gar nicht »entschlossen«, sie ließen Gewissensskrupel gar nicht erst aufkommen, sondern ritten eben los. Und wenn schon, fragt jemand, was lag daran? Die Antwort lautet: Alles! Denn jede Tat wird nicht erst durch ihre Folgen sündhaft, sondern ist es bereits dadurch, daß sie ohne volles Bedenken ihrer Implikationen vollbracht wird (auch wenn sie keinen unmittelbaren Schaden zu stiften scheint). Da sitzt nun der Großvater, und es sieht aus, als ob er das Leben nicht verstehen könne, obwohl er es gelebt hat. Und das allein ist auch vollkommen richtig, denn zwischen Leben und Verstehen ist eine unüberschreitbare Kluft, und die Welt ist ein niemals aufgehender Bruch.

Die Parabel ›Vor dem Gesetz‹ ist gedanklich das Kernstück der sittlichen, gestalterisch das der dichterischen Existenz Kafkas. »Vor dem Gesetz steht ein Türhüter.« Das Gesetz erscheint also hier als Gebäude, vor dem (beziehungsweise vor dessen Eingang) ein Portier, ein Türhüter, steht. Seine Aufgabe ist offenkundig. Wer hineinwill, unterliegt seinem Skrutinium und soll nicht um ihn herumkommen. Dies wenigstens ist der übliche Sinn von Türhütern.

Das Gesetz als Haus ist eine verbürgte Vorstellung. »In meines Vaters Hause sind viele Wohnungen«, heißt es im Evangelium. Das Gesetz gilt als die Wahrheit, in der zu wohnen die Vergünstigung gewisser Menschen sein kann. (Flaubert: »Ces sont dans le vrai«, von Kafka wiederholt zitiert.) Gemeint ist selbstverständlich nicht das von Menschen aus Phänomenen gefolgerte »Gesetz«, sondern jenes, das das menschliche Sein bestimmt, das »moralische Gesetz«, durch das der Mensch sittlich, also eben als Mensch, existiert und das, ebenso wie der gestirnte Himmel, Ehrfurcht und Bewunderung erweckt. Das Gesetz aber, wie es Kafka vorschwebt, ist noch weit mehr als das Gesetz Kants, selbstverständlich auch weit mehr als alle juristischen Gesetzesbauten, deren etwa Kafka vermöge seines Rechtsstudiums hätte gewahr werden können: sein Haus des Gesetzes ist wesentlich nach dem Richtmaß der jüdischen Gesetzesgesamtheit gebaut, die aus der Thora, also der Unterweisung und deren Auslegung durch den Talmud, besteht. Es ist freilich nicht etwa so, daß Kafka geradezu das jüdische Gesetz als solches meint; er wählt es bloß als das ihm zunächstliegende Grundbeispiel, für das ein jeder seine eigene moralisch maßgebende Gesetzhaftigkeit substituieren könnte. Was Kafka vorschwebt, ist das erhabene Gefüge eines durch göttliche Regelung gesicherten und getrösteten, von Flucht und Suche erlösten Daseins.

Der Türhüter, der vor diesem Gesetzeshaus Wache hält, ist daher nicht etwa ein jüdischer Schammasch (Synagogendiener), er könnte vielmehr jede mit einer gewissen Schlüsselgewalt betraute Person sein, ja, seine äußere Erscheinung weist den Türhüter unverkennbar einer mittelasiatischen-mongolischen Sphäre zu. Daß aber Kafka trotzdem von jüdischen Vorstellungen ausgeht, erkennen wir sogleich beim zweiten Satz. »Zu diesem Türhüter kommt ein Mann vom Lande und bittet um Eintritt in das Gesetz.« Warum gerade ein Mann vom Lande? Schon vor Jahren konnte ich darauf hinweisen, daß Kafka sich hier eines talmudischen Terminus bedient, der hebräisch als »Am ha-Arez« in Gebrauch ist und soviel bedeutet wie »Landvolk« oder »unwissender Laie« im Gegensatz zum eingeweihten

Gelehrten (die Griechen hätten »Böotier« gesagt). Dieser Am ha-Arez oder Mann vom Lande hat den brennenden Wunsch, ins Gesetz eintreten zu dürfen, um darin zu leben wie alle oder jedenfalls die meisten. Er will kein Außenseiter, möchte so wie die anderen sein. Aber der Türhüter will ihn jetzt nicht einlassen. Das Wörtchen »jetzt« ist wichtig. Es täuscht dem Am ha-Arez eine Chance vor. Vielleicht wird er später eintreten dürfen. »Es ist möglich«, sagt der Türhüter, »jetzt aber nicht.«

Das Tor zum Gesetz steht offen, es steht immer offen, aber der Türhüter muß wohl ein riesenhafter Mann sein, denn er verdeckt den ganzen Durchblick, und erst als der Türhüter ein wenig (und wie es scheint: zufällig) beiseite tritt, wird es dem Mann vom Lande möglich, überhaupt hineinzusehen, und auch da muß er sich noch bücken. Es kostet also bereits Anstrengung und hängt überdies nicht vom Manne selbst ab, sondern von der Willkür des Türhüters, ob der Am ha-Arez auch nur einen flüchtigen, ganz äußerlichen Blick gerade noch über die Schwelle des Gesetzes werfen kann. Aber die Anstrengung und die verkrümmte Haltung des ins Gesetz Strebenden reizen den Türhüter nur zu Hohn und Lachen. »Wenn es dich so lockt, versuche es doch trotz meines Verbotes hineinzugehen. Merke aber: ich bin mächtig. Und ich bin nur der unterste Türhüter. Von Saal zu Saal stehn aber Türhüter, einer mächtiger als der andere. Schon den Anblick des dritten kann nicht einmal ich mehr ertragen.« Eine ganze Reihe von Rigorosen ist also vorgesehen, bevor der Kandidat in das eigentliche Reich des Gesetzes promoviert werden kann. (Man möchte fast an Freimaurerei oder an die ›Zauberflöte‹ denken.) Die Frage ist aber, ob er überhaupt ein Kandidat ist.

Doch wir glauben bereits zu merken, welchen Verdacht Kafka hegt. Der Unwissende, der sich nach dem anscheinend Selbstverständlichen sehnt, nach der Ausübung eines (vorgeblich) allgemeinen Rechtes, nämlich »ins Gesetz einzutreten«, könnte vielleicht die Neigung verspüren, von sich aus und ohne Rücksicht auf den grimmen Türhüter zu handeln, der sich als Gewissen vor ihm aufgepflanzt hat, als Mentor der Verantwortungen, und ihn nun zu schrecken beginnt: Sieh zu, worauf du dich da einlässest! Schon ich bin unüberwindlich. Aber ich bin bloß der Anfang. Bist du erst einmal eingetreten, dann wird es von einemmal zum anderen immer ärger und bedrohlicher für dich. Es wird ausdrücklich erklärt: »Solche Schwierigkeiten hat der Mann vom Lande nicht erwartet.« Es will ihm scheinen, daß da irgend etwas nicht mit rechten Dingen zugeht. Warum sollte der Eintritt in das Gesetz so fürchterlich schwer sein? Der Mann vom Lande schwankt ein wenig und erwägt, ob er nicht doch einfach eintreten sollte. Aber der Anblick des Türhüters ist so schreckenerregend, daß der Am ha-Arez aufgibt und sich doch lieber entschließt, auf die Erlaubnis zu warten. Man beachte: er entschließt sich, sich nicht zu entschließen.

Das Schreckenerregende des Türhüters kommt besonders im Fremdländischen seines Wesens zum Ausdruck, das uns hier beschrieben wird (Pelzmantel, Spitznase, langer, dünner, schwarzer tatarischer Bart). Heines Verse ›An Edom‹ kommen uns in den Sinn. Aber der Türhüter ist dennoch nicht gerade bösartig. Er gibt dem Mann vom Lande sogar einen Schemel, damit er seitwärts der Tür sitzen und dort auf die Erlaubnis warten könne, in das Gesetz einzutreten. Die Schergen des Gesetzes bieten uns also sogar gewisse vorgebliche Erleichterungen an, aber doch nur, um die Schwierigkeiten, die sie uns bereiten, ins Endlose grausam verlängern zu können (Synthese von Gartenlaubebiederkeit mit Sadismus). Denn der Mann vom Lande sitzt nun auf diesem Schemel Tage und Jahre, er macht immer wieder Versuche, eingelassen zu werden, er ermüdet den Türhüter durch seine Bitten, er wird von diesem immer neuen Verhören unterworfen, in denen viele Fragen gestellt werden, die aber völlig teilnahmslose Fragen sind, denn der Türhüter hat ja – aber das weiß der Mann vom Lande nicht oder gesteht es sich nicht ein – gar nicht die Absicht, ihn auf Grund der Fragebeantwortungen einzulassen. Denn er ist gar nicht dazu da – aber auch das weiß der Mann vom Lande nicht –, den Eintritt wirklich zu verhindern, falls der Wartende sein Warten aufgeben und etwa ungeniert eintreten würde. Dieser aber entschließt sich nicht, er will eine ausdrückliche Erlaubnis. Das bringt ihn auf die Idee, den Türhüter mit seiner Habe bestechen zu wollen. Der sadistische Türhüter läßt ihn gewähren, aber er interpretiert zugleich sein Verhalten mit den gutmütigen Worten: »Ich nehme es nur an, damit du nicht glaubst, etwas versäumt zu haben.« So besorgt ist der Türhüter um das Wohlbefinden seines Opfers. Ahnliches findet sich auch in ›Der Prozeß‹ und ›Das Schloß‹. »Bei unseren Ämtern nimmt man zwar der Einfachheit halber, um unnötige Reden zu vermeiden, Bestechungen an, aber erreichen kann man nichts damit.« Der Mensch darf beten, aber er tut dies auf eigene Faust (»Faust«, weil das Gebet einer verhaltenen Empörung gegen den Lauf des Beschlossenen gleichkommt) ; ob er damit die obersten Instanzen bewegen kann, bleibt zumindest fraglich. Behörden – ewige wie zeitliche – amtieren wie das »Circumlocution Office« des kafkanahen Dickens. »In order to have an appointment you have got to have an appointment. But you haven't got an appointment, so you can't get an appointment. « Und Thoreau wiederholte mit Betonung den Satz: »Wir leben nicht von der Gerechtigkeit, sondern von der Gnade« (Der Apostel an die Römer, 6,14). Gnade aber will ergriffen sein.

Der Mann vom Lande wird alt und mürrisch über solchem Warten auf die Gnade. Seine Schwierigkeiten sieht er nicht etwa in sich selbst, sondern einzig in dem widerspenstigen Türhüter, den er nun jahrelang studiert hat, so daß er sogar mit den Flöhen in dessen Pelzkragen vertraut wird und in kindischer Greisenhaftigkeit unter Verlust sämtlicher Proportionen nun sogar diese Flöhe bittet, den Türhüter zu einer Erlaubnis zu bewegen. Er hat alle Würde und Selbstachtung verloren. Sein Augenlicht ist schwach geworden. Das einzige, was er noch erkennen kann, ist der Glanz, der unverlöschlich aus der Türe des Gesetzes bricht. Es ist der Glanz des Verweilens, des getrosten Wohnens, des Daseins »dans le vrai«, der Glanz der »Schechina«, der Gegenwart Gottes unter den Menschen, seiner das Gebet der Gemeinschaft erleuchtenden Herrlichkeit. Von diesem für ihn unerreichbaren Glanz entdeckt der Mann vom Lande einen Widerschein.

Nun aber, unmittelbar vor seinem Tode (und Kafka berichtet, daß sich jetzt in seinem Kopf alle Erfahrungen der ganzen Zeit sammeln, ähnlich wie bei dem Großvater sich in der Erinnerung das ganze Leben zusammendrängt), vor seinem Tod also und schon kraftlos in sich gesunken und unfähig, den erstarrenden Körper aufzurichten, rafft er sich zu einer letzten Frage auf und winkt dem Türhüter, sich zu ihm herunterzuneigen. Der Türhüter ist mißgelaunt. Seine Aufgabe bestand ja – wie wir wissen – nicht darin, die Türe zu hüten, sondern von dem Mann vom Lande unbeachtet übergangen zu werden. »Was willst du denn jetzt noch wissen?« fragt er unmutig, »du bist unersättlich.« Und jetzt stellt der Am ha-Arez seine Schicksalsfrage, die er keineswegs früher hätte stellen können, denn es ist eine Frage, die langjähriges Reifen und die Bitterkeit unendlicher Versagung voraussetzt: »Alle streben doch nach dem Gesetz. Wieso kommt es, daß in den vielen Jahren niemand außer mir Einlaß verlangt hat?« Und da der Türhüter erkennt, daß der Mann schon an seinem Ende ist, brüllt er ihm zu – er muß brüllen, um das bereits vergehende Gehör gerade noch zu erreichen –: »Hier konnte niemand sonst Einlaß erhalten, denn dieser Eingang war nur für dich bestimmt. Ich gehe jetzt und schließe ihn.«

Diesem Finale entspricht das der Erzählung ›Ein Landarzt‹. »Betrogen! Betrogen! Einmal dem Fehlläuten der Nachtglocke gefolgt – es ist niemals gutzumachen.« Jeder hat eine Tür zum Gesetz, zum Sein »dans le vrai«; versäumt oder verspielt er den Eintritt, so ist es niemals gutzumachen. Der Mann vom Lande – und jeder ist ein Mann vom Lande – hängt im Unlösbaren, denn der Eintritt ins Gesetz soll sich doch unter Befolgung des Gesetzes vollziehen, wäre aber lediglich unter Nichtachtung des Türhüters des Gesetzes möglich, der jedoch nur als trügerischer Ablenker vor dem Eingang postiert wurde. Betrogen! Betrogen! Die Schuld verlagert sich zu Gott, der am Ende vor sich selbst erlösungspflichtig wird. ›Vor dem Gesetz‹ ist paradigmatisch für Kafkas theologisches Gesamtwerk, dieses unbeendete (weil unbeendbare) Streitgespräch mit Gott, das nur in Ausnahmsstunden der Waffenruhe sich an der Parole tröstet: »Schreiben als Form des Gebets.« Das Gebet führt die Auseinandersetzung auf anderem Gelände weiter. (In der ›Regula‹ des heiligen Benediktus heißt es: »Laborare est orare.«) Aber das

Gebet ist immer auch eine Leistung für die Welt, und nur betende Dichter verdienen ihren Namen. Die größten beten jedenfalls, auch wenn dies nicht offen ersichtlich scheint.

›Vor dem Gesetz‹ ist von jenem realistischen Humor durchdrungen, den Kafka gerade in ernstesten Zusammenhängen in burlesker und skurriler Weise zur Geltung bringt. Gäbe es in einer Welt der Unsicherheiten, Hindernisse und unaufhörlichen Vorbereitungen auch unwichtige Nebensachen, dann wäre selbst diese Welt eingeteilt und einigermaßen übersichtlich, so daß eine richtige Bahn des Verhaltens und Handelns herausgefunden werden könnte. Nun gibt es aber keine unwichtigen Nebensachen. Es darf daher bei den Vorkehrungen auch das scheinbar Geringste nicht unbeachtet bleiben. Auch das sogenannte Zufällige und selbstverständlich das Alltäglichste ist wichtig zu nehmen. Alle Erscheinungen aber weisen sich in wandelbaren Proportionen, wodurch sie ungewöhnlich, deformiert, grotesk, freilich auch immer neu und interessant werden, so daß über ein Gewohntestes füglich so gesprochen werden darf, ja sollte, als wäre es etwas nie Dagewesenes. Es gibt also überhaupt nur Wunder (Ausspruch Kafkas). Und deshalb wendet Kafka jedem Detail – auch den Flöhen im Pelzkragen des Türhüters – jene wissenschaftliche Akribie zu, die – und Kafka weiß das – in ihrer Projektion auf den Hintergrund eines gigantischen Seelenproblems – als Ironie erscheint.

Diese Ironie ist die herbe Frucht des Mitleids mit der Kreatur, deren individuelle Absonderlichkeit sie einer jedesmal neuen und unlösbaren Tragik preisgibt. Das Unlösbare fordert die Satire heraus. Da jeder besonders ist, kann er sich im Grunde an kein Beispiel halten. Nur durch seine spezifische Tür fände er Eintritt in das Gesetz. Daß er diese einfache Bestimmung nicht erkennt und statt dessen mit einem monströsen Türhüter endlos verhandelt, macht ein wunderliches Mißverhältnis offenbar. Die Parabel, die den unbekannten Leerraum zwischen göttlicher und menschlicher Welt überbrückt, bedient sich der Hilfe des Abstrusen (auch zuweilen in den Evangelien).

Ein großer Teil der Prosa Kafkas setzt die anekdotisch-aphoristische Linie fort, auf der sich Claudius, Lichtenberg, Hebel, Heinrich von Kleist bewegten, durchwegs Autoren, die Kafka hoch verehrte. Die Anekdote und der Aphorismus (der in seinen Tagebüchern besonders stark aufleuchtet) bewahrten sich vor jenem Fragmentarismus, dem Kafka im Roman rettungslos ausgesetzt erscheint. Dies ist nicht etwa formal aufzufassen, als ob er technisch den weiten Atem eines Romans nicht hätte durchhalten können oder weil sein verhältnismäßig früher Tod Beendigungen hintangehalten hätte, sondern weil durchgreifende Probleme und echte Konflikte eher aphoristisch belichtet als einer epischen Lösung zugeführt werden können. Obschon die Definitionen des Romans schwanken, so bleibt doch bestehen, daß seine große

Form sich in Lösung und Äquilibrium ausdrückt, die nur bei vollem Einklang mit der Natur, der gewaltigen Besänftigerin aller Zustände, zu erzielen sind. Deshalb ist vielleicht ein Blick auf Kafkas Verhältnis zur Natur aufschlußreich.

Die Antike, die in ungebrochener Beziehung zur Natur lebte, hinterließ uns zwar viele Torsi, aber keine Fragmente. Hingegen vollzog sich beiläufig um die Mitte des zweiten christlichen Jahrtausends ein Einbruch des skeptischen Bedenkens, des Wissenwollens und Wissens (auch des »Zum-Beispiel-kaum-begreifen-Könnens«), und zugleich wird jene Epoche des beginnenden abendländischen Experimentierens auch zu einer des signifikanten Fragmentarismus, der in wesentlichen Fällen (zum Beispiel bei Michelangelo) mit einem unausgeglichenen Verhältnis zur Natur zusammenfällt. Michelangelo ist – wie später Kafka – ganz und gar anthropozentrisch.

Ad personam war Kafka zwar ein Naturfreund. Aber in den Werken und Tagebüchern ist nur selten von der lebendigen Natur die Rede (am meisten noch in den sogenannten Oktavheften seines Nachlasses). In dem ›Amerika‹ betitelten Romanfragment tauchen zwar Landschaften auf, aber sie sind – um einen Ausdruck Goethes zu gebrauchen – von der »exakten Phantasie« Kafkas errichtet (und deshalb frappant zutreffend). In anderen Schriften erscheint die Natur nur bruchstückweise, in Traumelementen oder als Abstraktion, in Gestalt unbenannter Blumen metaphysischen Charakters oder als anthropomorphes Getier mit symbolischem Sinn. (In den siebenhundert Seiten der vierzehn Jahre umfassenden Tagebücher wird Natur oder Landschaft kaum zehnmal erwähnt und auch dann nur nebenbei.) In Kafkas Briefen an seine geliebte Freundin Milena Jesenská liest man freilich von grünenden Sträuchern, sich öffnenden Blüten, ragenden Bergen, leuchtender Sonne und weitem Himmel, von einer belebten Landschaft mit Insekten, Eidechsen und Vögeln. Die Ursache liegt darin, daß die bezaubernde Tschechin selbst wie eine Naturerscheinung in Kafkas Leben trat.

Die Naturbeziehung der Antike war unwillkürliches Dazugehören, so daß sich auch zwischen Künstler und Kunstwerk jene Identität ergab, die kein Fragment aufkommen ließ. Solch restlose Identität gelang Kafka in der anekdotischen oder aphoristischen Aussage, zu der er daher auch das größte Vertrauen hatte und sich zu ihrer Veröffentlichung verstand. Das Anekdotische und Aphoristische nun ist selbstverständlicher Träger sowohl des Humors als auch der Satire (was bei Lichtenberg, Claudius, Hebel, Kleist und anderen deutlich wird). Die Großaufnahme einer Kleinigkeit, die Miniaturwiedergabe eines gigantischen Phänomens, der absurde Riesenschatten, den ein Pygmäe bei besonderem Sonnenstand wirft, die Zeitlupenschau eilfertiger Vorgänge, solche Kontraste und Kurzschlüsse decken die latente Komik auf, die bei allem, auch dem Ernstesten, Tiefsinnigsten und sogar Tragischsten mit agiert, sofern es von dieser Welt ist. Kafkas Satire greift den Widersinn, das Verworrene und das Unerreichbare auf, etwas der Natur nach Schmerzhaftes, dem er mit sadistischer Präzision nachgeht, erbarmungslos (wie bei ›In der Strafkolonie‹ oder wie Poe in ›Die Wassergrube und das Pendel‹). Gelegentlich wird das Schmerzhafte so ausschließlich bizarr dargetan, daß es gar kein Bedauern aufkommen läßt. In solchen Augenblicken ist Kafka der vollendetste Raconteur, einer, der es versteht, das Phänomen ins Absolute zu erheben, zugleich aber das Diskrepante seines relativen Daseins dem Lachen vorzubehalten.

In der Anekdote ›Eine alltägliche Verwirrung‹ berichtet Kafka mit überlegener Trockenheit von einem alltäglichen Vorfall, dessen Ertragen eben eine alltägliche Verwirrung darstelle. Damit aber zeigt er gerade die Merkwürdigkeit dieses Alltäglichen. Worauf er abzielt, ist das Alltagswunder. Alle menschliche Erziehung wünscht Ursachen und Wirkungen der Dinge bloßzulegen und verringert dadurch die Fähigkeit zum Staunen. Man glaubt die Welt durch Entzauberung wißbar zu machen und durch Veralltäglichung organisierbar. Dadurch aber verliert der Mensch jedes echte Verhältnis zu den Erscheinungen. Er schätzt keine Wunder, denn Wunder sind unbequem, unheimlich und daher ungebührlich. (Schwächlinge geben keine Begeisterung zu, zeigen sich nie überrascht und kennen alles längst besser.) Hier sind wir aber bereits wieder beim Religiösen, denn die Veralltäglichung des Lebenswunders hängt mit dem Abhandenkommen des Glaubens und der Religion zusammen. Kafka aber sieht überhaupt nur Wunder. Den Horror der Veralltäglichung des Ungewöhnlichen bezeichnet folgender Aphorismus: »Leoparden brechen in den Tempel ein und saufen die Opferkrüge leer; das wiederholt sich immer wieder; schließlich kann man es vorausberechnen, und es wird ein Teil der Zeremonie.« Die Veralltäglichung liegt nicht in der Wiederholung des Vorfalls, sondern im Vorausberechnen, dem der Bildungsmensch alles, aber auch alles zu unterwerfen sucht.

Das deskriptiv angewandte Wort »alltäglich« aber hat in der Anekdote einen besonderen satirischen Sinn. Seht euch einmal an, was sie für alltäglich hält! Es handelt sich um einen nüchternen Geschäftsabschluß zwischen den Herren A. und B. Die Herren versäumen einander bei ihrem Rendezvous. Nichts scheint gewöhnlicher. Worauf aber geht das Versäumen zurück? Auf den seltsamen Umstand, daß A. für den Weg zu B., der erfahrungsgemäß zehn Minuten dauert, am Tage des Geschäftsabschlusses zehn Stunden braucht. B. ist nicht mehr anwesend, da er inzwischen zu A. gegangen ist. Warum dessen Weg zu B. statt zehn Minuten diesmal zehn Stunden dauerte, wird zwar nicht gesagt, aber wir können es uns erklären. A. möchte zwar mit der merkantilen Seite seines Wesens das Geschäft gerne abschließen, irgend etwas in ihm aber erzeugt einen unbewußten Widerstand und verzögert sein Vorwärtskommen, obwohl er unglaublich hastet. Das geht so weit, daß er im eigenen Haustor an seinem präsumtiven Partner vorübereilt und ihm, mit dem er doch das Geschäft abschließen will, sagt, er habe keine Zeit, sich mit ihm abzugeben, da er schnell fortmüsse, um mit ihm ein Geschäft abzuschließen. Ja noch mehr: als er bei der Rückkehr hört, der Partner warte im Oberstock bereits auf ihn, treibt er seine Eile, ihn zu treffen, so sehr an, daß er stolpert, sich eine schmerzhafte Sehnenzerrung zuzieht und sich derart selbst daran verhindert, zu B. zu gelangen, der inzwischen wütend (wahrscheinlich an dem Verletzten vorbei) die Treppen hinunterstampft und endgültig verschwindet.

Kafka kannte Freuds Theorie der Fehlleistungen genau und Goethe als entschiedensten Verkünder der Bedeutung des Unbewußten noch viel genauer, benötigte aber für seine tiefenpsychologischen Wahrnehmungen keinen von beiden, denn gerade die aus dem Unbewußten vordringenden Reaktionen bilden das Um und Auf seiner eigensten Satire. Doch kam es ihm bei ›Eine alltägliche Verwirrung‹ weder auf das Psychologische noch auf die Satire, sondern auf das Ethische an. Die Verwirrungen im Dasein entstehen eben dadurch, daß die meisten Menschen (daher »alltägliche« Verwirrung) Dinge tun oder tun möchten, gegen die ihr innerstes Gewissen Stellung bezieht. Entweder gelangen sie dadurch überhaupt nicht zum Handeln – und das wäre noch der günstigste Fall, obschon der schmerzhaftere –, oder ihr Handeln gerät widernatürlich, unaufrichtig, unethisch. Die Kreatur erscheint als Opfer der über sie verhängten Wesensart in ihren verzweifelten Anläufen gegen einen unüberwindlich scheinenden Determinismus. Der Geschäftsmann A. macht vermöge seines unbewußten Gewissens seine eigene Absicht zuschanden. Der schöne und schreckliche Bamberger Reiter bedenkt sich nicht wegen des nächsten Dorfs. Zwischen beiden war Hamlet. (»So macht Gewissen Feige aus uns allen.«)

Kafkas Realismus aktualisiert (und aktualisiert auf die Dauer) auch räumliche und mythische Fernen. Die ferne Strafkolonie, die afrikanische Araber-Oase, das China der Parabeln, das Amerika nicht nur des großen Fragments, sondern so mancher Einzelstücke und »Traumfährten« des Tagebuchs (Hermann Hesse gewähre mir die Übernahme seiner Wortprägung), insbesondere auch die Hinwendung zum Mythos der Antike, all das deutet, immer vom Gegenständlichen ausgehend, bleibende Grundanlagen und Grundverhängnisse. Das Gegenständliche muß sich dabei zuweilen Korrekturen gefallen lassen.

Während der Mann vom Lande vor seiner Eingangstür zum Gesetz sein Leben vergeblich verwartet, paraphrasiert ›Eine kaiserliche Botschaft‹ das Verhängnis der Vergeblichkeit und Unerreichbarkeit gleichsam mit umgekehrten Vorzeichen, nämlich vom Innersten des Gesetzes her in der Richtung zum wartenden Menschen. Die Macht des Gleichnisses wird noch bezwingender, weil es in eine östliche Welt der Allmählichkeit und Zeitabgewandtheit gesetzt ist, eine Welt, in der sich Kafkas Intuition mit Vorliebe beheimatete.

Es ist nicht nur so, daß der Mensch von sich aus nur unter schier unerfüllbaren Bedingungen in die Erlösung Eintritt findet, sondern diese – die kaiserliche Botschaft – kann auch nicht bis zu ihm gelangen. Sie ist beabsichtigt, der Bote wird abgefertigt, er setzt alle seine Kräfte daran, seine Botschaft auszurichten, aber selbst schon die Gemächer des innersten Palastes kann er nicht hinter sich bringen. (Wir denken an die vielen Türhüter, die vor den Hallen des Gesetzes postiert sind.) Aber selbst wenn des Kaisers Bote durch die innersten Gemächer dränge: nichts wäre gewonnen. Er müßte sich dann die Treppe hinabkämpfen; und gelänge ihm auch dies: nichts wäre gewonnen. Die Höfe wären noch zu durchmessen, und nach den Höfen der zweite umschließende Palast: und wieder Höfe und Treppen; und wieder ein Palast; und so weiter durch die Jahrtausende. Aber selbst wenn er dann endlich aus dem äußersten Tor stürzte, läge ja erst die Residenzstadt vor ihm. Niemand dringt hier durch, und gar mit der Botschaft eines Toten. Die Botschaft also, die die Erlösung enthält, ist an die ganze Qual der Unendlichkeit gebunden. Sie ist uns zugesagt. Sie eilt uns entgegen. Wir selbst, wenn wir etwas taugen, bewegen uns auf sie zu. Aber dazwischen liegt die Unendlichkeit, wenn ein solches Vorstellungsbild anders als eben in der Parabel gestattet ist. Der Mensch aber darf trotz dieser absurden Vergeblichkeit, trotz der fast völligen Unwahrscheinlichkeit der Erlösung, von seiner Intention der Erlösungsbereitschaft nicht abweichen. An das winzige Wörtchen »fast« muß er sich halten, an ihm hängt sein Heil, wenn es überhaupt eines gibt.

Kafkas Werk berichtet von der unentrinnbaren Maschinerie des Lebens; von seiner bürokratischen Mechanik, die den Menschen in dauernder Untersuchungshaft hält; gegen ihn Anklagen erhebt, deren Substanz und Zweck dem Angeklagten nie völlig bekannt werden; ihn zwingt, Delikte einzugestehen, die er nie beging; unbegreifliche und raffinierte Torturen und Strafen über ihn verhängt. Es wäre jedoch absurd, Kafkas Werk unter irgendeinem politischen Aspekt betrachten zu wollen. Er registrierte nur die unabwendbare Not, den unlösbaren Konflikt und Daseinswiderspruch des Individuums, das sich im Labyrinth seiner eigenen inneren und äußeren Institutionen verliert. Von unbestechlichem Eifer wie die Propheten, ist er doch nicht ohne Gnade und stets voll des Erbarmens mit den grotesken Verzerrungen, denen alles Kreatürliche anheimgegeben ist. Der Wille zur unbedingten Wahrheit, der allein die Korrektheit der Metaphern bewirken kann, stellt ungeheuerliche Anforderungen an den Schreibenden. »Es ist schwer, die Wahrheit zu sagen, denn es gibt zwar nur eine, aber sie ist lebendig und hat daher ein lebendig wechselndes

Gesicht« (an Milena). Kafka war sich dessen bewußt, daß für den Verantwortlichen jede definierende Aussage in sich selbst die Symptome des Widerspruchs und des tödlichen Zerfalls trägt. Als Schriftsteller stand er deshalb immer vor der Frage: Von welchem Punkte an hat jemand überhaupt das Recht, Menschen um seine Erkenntnisse zu versammeln? Das ist keine bloß literarische, vielmehr eine religiöse Frage.

Swedenborg sagte einmal: »Das Gewissen ist die Anwesenheit Gottes im Menschen.« Das »Daimonion« des Sokrates, der »Deus in nobis« des Ovid (agitante calescimus eo) ist der Träger des Gewissens, das allein die echte Tat ermöglicht, aber auch Unternehmungen voll Mark und Nachdruck aus der Bahn lenkt, die Entscheidung zum Ritt sogar noch ins nächste Dorf bremst, den Eintritt ins Gesetz hintanhält. Wenn Kafka sein erstes Buch, seine erste große Entscheidung in der Sphäre des geistigen Wirkens mit dem Titel ›Betrachtung‹ versah, so schlug er sich völlig auf die Seite des Gewissens, bedenkend, daß er damit dem Handeln absagte, daß er unaufhörlich auf die kaiserliche Botschaft werde zu warten haben, die wahrscheinlich fast niemals kommt – denn niemand dringt hier je durch –, für die aber der Mensch dennoch allezeit sich festlich bereithalten soll, denn – wie er im Tagebuch schon 1912 zu sich sagte –: »Wenn auch keine Erlösung kommt, so will ich doch jeden Augenblick ihrer würdig sein.«

IV Umgang mit Sirenen

Kafkas Anekdote ›Das Schweigen der Sirenen‹ ist ebenso rätselhaft und bestrickend wie die mythischen Sängerinnen selbst, die darin nicht zu Worte kommen. Inwiefern Realität hinter dem ursprünglichen Mythos wirksam war, versuchte man seit eh und je zu erkunden. Vergeblich allerdings, weil ja vermutlich der Mythos von Anfang an die eigentliche Realität war. Materialistische Dummköpfe identifizierten die berühmten Unheilstifterinnen abwechselnd mit orientalischen Eulen oder mit Pinguinen, andere mit zudringlichen Berghirtinnen, die als verlockende Köder im Dienste kannibalischer Zuhälter sangen. Phantasiereichere Deutungen nahmen substantiierte Sonnenstrahlen oder planetarische Wirkungen an, und die Reihe ging weiter bis zu Seehexen, Nymphen und Halb-Fisch-, Halb-Weib-Wesenheiten. Verträumte Matrosen wollten hochbusige Meerjungfrauen beobachtet haben, die ihnen verlockende Sopran-Koloraturen zusangen; traumlose Kameraden jedoch behaupteten, es seien bloß Seekühe gewesen, die ein hochgestimmtes Wiehern ertönen lassen. Bei alledem und ungeachtet des Wandels in den Elementen steht eines fest: das Weibliche nämlich. Die menschenköpfigen Vogelwesen, die Odysseus sah, oder die Wassernixen, denen Henry Hudson und Kapitän John Smith auf ihren Amerikafahrten im Ozean begegneten, wiesen sich jedenfalls allesamt durch weibliche Attribute aus, ebenso wie die Undinen, Melusinen und Loreleis, die der gleichen Vorstellungswelt angehören. Weiblich an ihnen ist besonders, daß sie Enttäuschungen absolut nicht vertragen konnten. Auch bedienten sich die meisten des weiblichsten aller Verlockungsmittel, des Gesangs nämlich, außer wir wollten von jener Sirene absehen, über die Norman Douglas, der geistreichste aller Sirenenkenner, berichtet, sie sei anfangs des fünfzehnten Jahrhunderts in der Zuidersee gefangen worden und hätte dann in Haarlem durch längere Zeit ein gutbürgerliches Leben geführt, aber niemals ein Wort gesprochen. Von dieser schweigenden Sirene ließe sich also eine Verbindung zu Kafkas seltsamen Schweigerinnen herstellen.

Von den drei antiken Zauberwesen Parthenope, Ligea und Leucosia überliefert man eine deutliche Genealogie, die sie von Phorkys und Keto abstammen läßt. Phorkys, ein ganz unheimlicher Geselle, war auch der Vater der Graien, der Gorgonen und des Drachen Ladon, der die Äpfel der Hesperiden hütete. Von dieser gruseligen Nachkommenschaft waren ursprünglich die Sirenen weitaus die Schönsten. Aber weil sie ihrer Gespielin Persephone nicht beistanden, als diese von Hades gekidnappt wurde, hatte ihnen Demeter das Vogelgefieder angezaubert. Von da an trieben sie es mit harmlosen Reisenden und rächten sich dafür an ihnen, wozu sie ihren Sitz praktischerweise auf den Capri vorgelagerten Klippen nahmen. Die Homerische Kosmographie verlegt sie jedenfalls dahin, wie denn auch die amalfitanische Seite des Kaps der Minerva als Wohnstätte Kirkes gilt. Gregorovius ebenso wie später Douglas tun so, als wären sie den Sirenen in jener Gegend geradezu persönlich begegnet, ohne im übrigen Schaden davongetragen zu haben. In Goethes exakter Phantasie machen sie sich zwar sehr ausführlich am oberen Peneios und in den Felsbuchten des Ägäischen Meeres vernehmbar; aber das war vor ihrer Übersiedlung in die Gegend von Capri, zu der wohl die verschiedenen Westfahrten der Hellenen Anlaß gegeben hatten. (Auf der Rückfahrt von Sizilien wäre Goethes Schiff bei völlig heiterem Himmel und ungebrochener Meeresstille einzig infolge der Strömung an den Sireneninseln beinahe gescheitert [›Ital. Reise‹, 14. Mai 1787]. Eine Zeichnung Goethes [wahrscheinlich zum 2. Teil von ›Faust‹] zeigt Sirenen, die, auf Klippen hingelagert, flöten und singen. In Goethes Bibliothek befand sich das ›Gründliche Mythologische Lexicon‹ von M. Benjamin Hederich, darinnen die Sirenen als »berühmte Huren« figurieren, »welche die Vorbeireisenden an sich gelocket und hernach ausgezogen«.) Die Argonauten, so hören wir, fuhren an den Sirenen unbelästigt vorbei, denn Jason mitsamt seinen hochberühmten Gefährten lauschte gerade dem Gesang seines Mitreisenden Orpheus. Mit dem konnten die Sirenen es nicht aufnehmen, wie sie denn auch bei ihrem Zweikampf mit den Musen unterlagen, von denen sie zur Strafe gerupft wurden. Immerhin wuchsen ihnen die Federn wieder nach.

Odysseus war jedenfalls der letzte, der sie noch als halbe Vogelwesen sah, und da sie ihn nicht beeindrucken konnten, stürzten sie sich ins Meer, eine recht feminine Reaktion. Über ihr weiteres Schicksal liegen drei Überlieferungen vor. Nach der einen (von Euripides) leben sie im Hades mit Persephone weiter, die zweite läßt sie als Halbfischwesen in den Ozeanen umherschwimmen, die dritte will wissen, daß sie sich in Felsklippen bei Capri verwandelten. Dies ist die beste, mit dem Urmythos noch am ehesten übereinstimmende Wahrscheinlichkeit. Denn es muß wohl etwas Sirenisch-Wundersames über der Luft von Capri schweben, was der Umstand beweist, daß Mr. Wreford, ein englischer Publizist des neunzehnten Jahrhunderts, die Insel besuchte, um dort einen Nachmittag zu verbringen, aber mehr als dreißig Jahre, bis zu seinem Tode, blieb. Ähnliches soll sich dort nachher des öfteren abgespielt haben, wird allerdings auch von Hawaii erzählt.

Alle diese Details sind zu erwägen, wenn man Kafkas Sirenenanekdote richtig würdigen will. Insbesondere muß man sich die Homerische Version zum Bewußtsein bringen. Sie steht in der Odyssee zwölftem Gesang. Man vergesse nicht, daß dort Odysseus selbst die Geschichte erzählt, der ja als Aufschneider bekannt war und sich vor der lieblichen Nausikaa womöglich noch wichtiger machen wollte, als er es in der Tat ohnehin schon war. Er berichtet also, wie er von Kirke vor den Sirenen gewarnt worden sei, die damals noch nicht zu dritt, sondern nur zu zweit auf einer blumigen Wiese saßen, umgeben von Gebein, verwesenden Menschenleibern und dürr getrockneten Häuten. In diesem makabren Milieu bezaubern die Grausamen alle, die ihrer Wohnstätte nahe kommen. Wer ihnen lauscht, der wird daheim die Familie nicht mehr begrüßen. Hier zeigt sich, wie genau Kirke ihren Odysseus kannte, der die Heimat sogar der Unsterblichkeit vorzog. »Ithacam ut videret, immortalitatem scribitur repudiasse« (Cicero, De Legibus II, und Dion Chrysosthomus, Orat. XIII). Kirke ist es denn auch, die das Verstopfen der Ohren der Gefährten mit Wachs und das Anketten des Odysseus an den Mast anregt, falls dieser die Sirenen ungeachtet aller Warnungen dennoch zu hören wünsche (eine Neugier, die Kirke nach ihren Erfahrungen mit Recht bei Odysseus voraussetzte).

Die Fahrt des Odysseus verläuft dann zunächst vom Kap der Minerva, wo Kirke residierte (man zeigt noch Palastreste), nach Westen, vermutlich in der Absicht – trotz aller Heimatsehnsucht –, zwischen den Säulen des Herakles nach dem fabulosen Atlantis zu gelangen, eine Reise, die später Dante divinatorisch mitverfolgte und die er den Ithaker auch nahezu vollenden läßt. Dieser selbst aber erzählte den Phäaken, wie plötzlich der Wind sich legte, das Wasser glatt wurde und die stille See zu glänzen begann. Symptome, die die Nähe der Sirenen andeuteten. Eilig wird nun Wachs (das antike Ohropax) den Gefährten in die Ohren gestopft, und Odysseus läßt sich an den Mast binden (wohlgemerkt: mit offenen Ohren). Und unverzüglich vernimmt er denn auch den Gesang der Sirenen, der in griechischer Sprache maßlos verführerisch klingt, schon im ersten Hexameter mit siebzehn vollen Vokalen lockend (nur fünfzehn Konsonanten Δεῦρ' ἄγ' ἰών πολύαιν' 'Οδυσεῦ μέγα κῦδος 'Αχαιῶν: »Komm, du besungener Odysseus, du großer Ruhm der Achäer«, so zauberflöten die Vogeldamen, »komm, und du wirst vergnügt und weiser als zuvor weiterfahren« (πλείονα εἰδώς), »denn wir wissen alles über Trojas und der Argiver Schicksal und überhaupt über jegliches, was auf Erden geschieht« (ἴδμεν δ' ὅσσα γένηται ἐπὶ χθονὶ πουλυβοτείρῃ).

Solche Schmeicheleien wären durchaus geeignet, auch den angebundenen Helden zu überlisten, um so mehr, als hier kein trivialer irdischer Firlefanz, sondern Weisheit in Aussicht gestellt wird, obwohl die Sirenen selbstverständlich flunkerten und Odysseus mehr versprachen, als sie je hätten bieten können. Dieser, glücklicher als Adam, war nicht überdies noch dem begierigen Zureden eines Weibes ausgesetzt, sondern konnte sich auf seine Schiffsgefährten verlassen, die ihn auftragsgemäß nur noch fester an den Mast fesselten, so daß die ganze Expedition den phorkyadischen Animiermädchen entrinnen konnte.

Soweit Homer oder vielmehr sein Odysseus. Etwas völlig anderes ereignet sich mit dem Mythos bei Kafka. Dieser hat herausgefunden, daß Odysseus sich sowohl an den Mast schmieden als auch die Ohren verstopfen ließ, um unter der Devise »Doppelt genäht hält besser« vor dem Gesang der gefiederten Feen absolut sicher zu sein. Kafkas Odysseus ist ganz und gar Kafkas. Eine Vorkehrung allein hätte ihm nicht genügt. Aber auch die Sirenen sind Kafkas Sirenen, denn sie verfügen nicht bloß über die Waffe des Gesangs, sondern über eine noch viel schrecklichere Waffe, nämlich das Schweigen. Und wirklich hätten – nach Kafkas Version –, als sich das Schiff des Odysseus näherte, die gewaltigen Primadonnen nicht gesungen. Der Ithaker freilich glaubte, sie sängen, nur könne ihr Gesang ihn, den zweifach Gesicherten, nicht erreichen. Sie aber schwiegen. Nun ließe sich solches Schweigen auch dahin interpretieren, daß die Persistenz des Odysseus, sich unter keinen Umständen von ihnen verführen zu lassen, den doch immerhin weiblichen Wesen einfach die Rede verschlug. Kafka aber spricht ihnen die Kraft, zu schweigen, als bewußte Waffe zu.

Er invertiert also den überlieferten Mythos (wie ja auch seine New Yorker Freiheitsstatue zu Beginn seines ›Amerika‹ betitelten Romans nicht mit erhobener Lampe, sondern mit gezücktem Schwert grüßt). Die Vorbeugetricks des Odysseus gelangen ihm freilich nur unter Einbuße seiner heroischen Reputation. Denn setzt man den interpretativen Hebel etwas tiefer an, dann hätten die Sirenen geschwiegen, weil sie wußten, daß sie ohnehin nicht gehört werden konnten, und hätten durch ihr Schweigen dem listenreichen Mann vor der Welt der Götter und Menschen eine fühlbare Blamage zugefügt. Kafka bringt als Anhang eine weitere Konjektur, nach der Odysseus das Schweigen der Sirenen dennoch übertrumpfte, indem er nämlich davon wußte, sich aber – der Überschlaue – so stellte, als nähme er an, sie sängen, und solcherweise den Göttern »den Scheinvorgang nur gewissermaßen als Schild entgegengehalten habe«.

Kafka paraphrasiert das Thema »Angst« und verschiebt den Mythos in der Richtung zur menschlichen Schwäche. Odysseus ist hiefür keine schlechte Wahl. Er ist das Gegenteil der sturen achäischen Draufgänger, er ist ein Held *malgré lui.* Plato erzählt in ›Politeia‹, Odysseus habe im Hades nichts sehnlicher für den Fall seiner Wiedergeburt erwünscht als »das Leben eines schlichten Privatmannes«. Das erinnert an Kafkas Wunschbild des Lebens »dans le vrai«, des Lebens des »einfachen Mannes mit regelmäßigen Gewohnheiten«, mit dessen komplizierter Beschreibung er viele Bände hätte füllen können. Angst übrigens ist von

Feigheit scharf zu trennen. Man kann Angst, die die Möglichkeiten eines Unheils in allen ihren Facetten unaufhörlich abtastet, auch als einen Ritus zur Bannung des Unheils deuten. Unterließe man aber dieses Zeremoniell der Angst, dann würde das Leben zu leichtsinnig genommen und dem Unglück das Tor geöffnet sein.

Die Sirenenanekdote verläuft parallel zu Kafkas Leopardenaphorismus. Dort wird die Ungewöhnlichkeit des Verhaltens der Leoparden, die die Opferkrüge im Tempel mit einer zum Rituale werdenden Regelmäßigkeit leersaufen, vermöge des menschlichen Kalküls außer Kraft gesetzt und gleichsam trivialisiert. Die Leoparden werden der täglichen Zeremonie einverleibt, obwohl es auch weiterhin von der unberechenbaren Willkür der Leoparden abhängt, ob die Zeremonie nicht ad absurdum geführt wird. Denn die Leoparden könnten doch immerhin eines Tages ausbleiben, so wie die Sirenen das Kalkül des Odysseus ad absurdum führen, indem sie diesem ihre Berechnung entgegenstellen, während er sie seiner Berechnung ausgeliefert glaubte. Ein weiteres ist, daß auch die Berechnung der Sirenen zum Scheitern gelangt, weil Odysseus sie gar nicht zur Kenntnis nehmen kann, und noch ein weiteres, daß er sie vielleicht zur Kenntnis nimmt, aber sie schon längst seiner Planung einverleibt hatte. Eine Parabel, wie man weiß, kommt aus dem Unendlichen und verläuft ins Unendliche.

Man könnte geneigt sein, zu vermuten, daß auch die sinnreichste Parodie antiker Stoffe und Motive der nie überwundenen Gymnasiastenlust unterliegt, den Griechischlehrer zu veräppeln. Ist er es, dem Kafka in seiner Glosse ›Poseidon‹ den Meergott als das zeigen will, was er vielleicht in Wirklichkeit ist, nämlich als rechnenden Business-Manager, dem die Verwaltung der Gewässer auferlegt ist? Auferlegt, denn er erfüllt eine Aufgabe, weil er muß, und wie die meisten Angestellten freut er sich gar nicht seiner Arbeit, bleibt aber kraft des Gesetzes der Trägheit fleißig. Auch außerhalb seines geschäftlichen Elementes hebt sich ihm der Magen, und innerhalb des Geschäftes hat er schon gar keine Chancen, denn bestenfalls könnte er zur Erholung mit der Verwaltung eines Sondermeeres betraut, also eigentlich nur degradiert werden. So ist er trotz all seines Einflusses unglücklich und zugleich ein wenig lächerlich und ärgert sich darüber, daß man sich von ihm unzutreffende pathetische Vorstellungen macht, während er in Wirklichkeit in unendlichen Rechnereien aufgeht, so daß er die Meere, deren Konti er führt, nicht einmal richtig gesehen hat, ebenso wie vielleicht der Präsident eines riesigen Holzverwertungskonzerns noch nie in einem wirklichen Wald spazierenging. Poseidons einzige Hoffnung ist der Weltuntergang. Dann erst, knapp vor dem Ende, nach Durchsicht der letzten Rechnung, möchte er sich vielleicht eine kleine Rundfahrt auf seinen Ozeanen leisten können. In einem Erzählungsfragment schildert

Kafka einen Angestellten, der das reale, aus dem täglichen Leben gegriffene Gegenstück seines Poseidons bildet, einen »Buchhalter, der über dem Hauptbuch ausgebreitet lag wie ein Frosch, ein kurzsichtiger schwermütiger Mann, still, nur von einem mühseligen Atem schwach gehoben und gesenkt«. Kurzsichtig ist auch Poseidon; seine Meere sah er nie; schwermütig und verdrießlich liegt er über seinem Hauptbuch ausgebreitet, nicht wie ein Gott der Weltgewässer, sondern wie ein Frosch der Sümpfe. Die antike Götterwelt war den gleichen Vergeblichkeiten und Unerreichbarkeiten ausgesetzt wie die Menschenwelt, nur mit dem Unterschied, daß bei den Menschen tragisch ausläuft, was bei den Göttern zur Parodie gedeiht. Denn gerade mit ihrer pathetischen Erhabenheit müssen Olympier vorsichtig umgehen, da sie nur zu leicht der Lächerlichkeit anheimfallen könnte (und in der Tat ja auch in zahlreichen literarischen Formungen seit Homer schon anheimfiel).

Gegen das Vergebliche und Unerreichbare gäbe es für Poseidon nur eine einzige Rettung, nämlich den totalen Untergang, der indessen keinen Ausweg darstellen kann, weil ja eben das untergeht, was gerettet werden sollte. Deshalb ist auch Poseidons Bemerkung, er werde seine Meere erst kurz vor dem Weltuntergang kennenlernen, von Kafka deutlich als unglaubwürdige Frivolität gekennzeichnet. Denn es ist offenkundig, daß Poseidon seine Meere niemals kennenlernen, hingegen sie unablässig verwalten wird, wobei seine göttliche Unsterblichkeit dabei nur eine besondere Strafverschärfung darstellt. Wäre Poseidon sterblich, so könnte ihm allenfalls durch den Tod geholfen werden. Er muß aber ein anthropomorphes Mißvergnügen empfinden, ohne zugleich je seine Unsterblichkeit loszuwerden. Die Furcht vor dem Tode hält bei den Menschen der Furcht vor der Unsterblichkeit die Waage.

Der Dichter wirkt legitim an den Verwandlungen der Mythen, das heißt an ihrem Weiterleben, mit, ja darin besteht seine eigentliche Berufung. Er hält sich dabei über dem historischen Nach- und dem geographischen Nebeneinander und überläßt den Zeitenlauf seinen Anachronismen, den Raum seinen Anatopismen. So mochte Schiller getrost in ›Wallenstein‹ den Blitzableiter, Goethe in ›Faust‹ Wochenblättchen und Totenschein, Wagner in ›Die Meistersinger‹ den Flieder figurieren lassen, Shakespeare in ›Wintermärchen‹ Böhmen ans Meer verlegen. Motive sind von zeit- und raumentbundener Symbolik, Helena bleibt jung und schön, wie alt sie auch sein möge, und ein gutes Theaterstück bleibt dies in jedem Kostüm. In hundert Verwandlungen geht der Sirenenmythos durch Zeiten und Gemüter, haftet an der Grabstele des Sophokles, deren Sirenen sowohl Seelenvögel als auch die Überzeugungskraft seiner Kunst darstellten, oder spricht und singt aus Goethes triefendem Flußweib, ja gellt dem modernen Menschen in dem warnend-bedrängenden Sirenengeheul der Fabriken, Polizeiautos,

Ambulanzen und Flugabwehralarme in die Ohren. All das ist gefahrbergend und verlockend zugleich, weil eben alles tief Schreckhafte – und sogar das des Todes – immer auch eine Variante der dämonischen Verlockung enthält. Denn mit dem Tod spielt man von Kindesbeinen an bis in die Außen- und Kriegsministerien. Die Propagandisten aller Schattierungen hocken auf den realen oder imaginierten Knochenhaufen, liebliche Verheißungen flötend, und man muß sich nicht nur anketten lassen, sondern – wie bei Kafka – auch beide Ohren verstopfen, um ihnen standzuhalten. Wo der Propaganda keine Ohren geöffnet sind, dort verliert sie ihre *raison d'être*, denn wer nicht hören kann, der wird – so glaubt man – auch nicht fühlen.

Das vollkommene Verstummen der Sirenen erwiese sich jedoch erst dann als eine wirklich wirksame Waffe, wenn es als solches vernommen würde, das heißt, wenn die Sirenen einem hörenden und unangeketteten Odysseus schweigend ins Antlitz geblickt hätten. Dies hätte er vermutlich am allerwenigsten ertragen. So aber – wie die Dinge bei Kafka liegen – verschloß er sich einem nur vorgestellten Gesang. Die Sirenen ihrerseits aber schwiegen vielleicht weder aus Verbissenheit noch weil sie um ein bezwingendes Thema verlegen gewesen wären, sondern weil sie mit guten Gründen voraussetzten, daß die Furchtbarkeit eines vorgestellten Gesangs die ihres wirklichen bei weitem übertreffen müßte. Auf diese Weise allerdings schwiegen sie sich selbst zugrunde, und ihr Schicksal in ihrer damaligen Form war in Verbindung mit Odysseus in jedem Falle besiegelt. Da aber die Menschheit ein unstillbares Bedürfnis nach Sirenen hat, leben sie in andern Formen weiter, ja niemand kann wissen, inwiefern er nicht selbst ihre mythische Rolle weiterspielt.

V Brand

Manche behaupten, Brand habe nie gelebt, er sei eine Erfindung von mir, ein bloßer Deckname für meine eigenen frühzeitigen Dichtungsversuche. Zum Teil gründeten sich solche unsinnigen Konjekturen auf einer irrtümlichen Angabe in einem Literaturkalender, darin der Name »Brand« als ein Pseudonym für mich erschienen war. Aber ich habe niemals Dichtungen unter einer Maske veröffentlicht, außer als Gymnasiast, zur Zeit, da es in Österreich den Mittelschülern verboten war, irgend etwas zu publizieren. Damals erschienen in der Sonntagsbeilage des ›Prager Tagblattes‹ gelegentlich Gedichte von mir unter dem Namen »Hans Elmar«, der mir sehr romantisch vorkam und den ich aus einem längst vergessenen Epos bezogen hatte. Alle meine Mitschüler wußten selbstverständlich, wer Hans Elmar war. Dafür hatte ich in jugendlicher Ruhmbegier selbst gesorgt. Aber einer von ihnen, Hans Gerke, der viel begabter war als ich, schlug mich nicht nur bald aus dem Felde, sondern beschämte mich überdies, indem er seine Gedichte kühn unter seinem wirklichen Namen in dem gleichen ›Prager Tagblatt‹ veröffentlichte. Sein Triumph erreichte den Gipfel, als eines seiner Gedichte sogar von Karl Kraus in dessen ›Fackel‹ heftig zerzaust wurde. Ich hatte noch fast zwanzig Jahre zu warten, bevor ich mich eines ähnlichen Erfolgs erfreuen konnte. Indessen seit Gerkes ›Aristie‹ zeichnete auch ich nur noch mit meinem echten Namen.

Wenn aber gewisse Leute vermuteten, Brand habe es gar nicht gegeben, so war insoferne etwas daran, als dieser Name in den Prager Kirchenbüchern, Geburtsmatrikeln oder sonstigen amtlichen Registern nirgends verzeichnet war. Denn »Karl Brand« war in der Tat ein Pseudonym; aber nicht für mich, sondern für einen anderen jungen Menschen, beiläufig meines Alters, der in Wirklichkeit Karl Müller hieß. Ich lernte ihn kurz vor meiner Matura (in Deutschland »Abitur«) kennen, und wir trafen einander später häufig in dem berühmten Cafe »Arco«, wo wir mit den übrigen deutschen Dichtern und Literaten Prags beisammensaßen. Etwas mehr hierüber und über die Freundschaft, die sich zwischen Müller alias »Brand« und mir entwickelte, kann man aus der Erzählung ›Vermächtnis eines Jünglings‹ erfahren, die eine der Tafeln meines Buches ›Prager Triptychon‹ bildet und auch sonst oft nachgedruckt wurde. In Wirklichkeit handelt es sich dabei um einen autobiographischen Bericht, der in den Einzelheiten geschichtlich genau, jedoch als Ganzes erzählerisch gestaltet ist. Jedenfalls habe ich dort die Lebensatmosphäre, in der Brand sich bewegte, und seine Art, sich zu äußern und zu reagieren, mit möglichster Genauigkeit festgehalten. Als ein Gegenstück kann man noch Werfels Erzählung ›Kleine Verhältnisse‹ heranziehen, darin das Milieu einer armen Familie nach dem Vorbild des (Brand-)Müllerschen Hauswesens geschildert wird, worauf ich auch in meinem Nachwort zu dieser Erzählung Werfels (S. Fischer Verlag, 1955, Schulausgaben moderner Autoren) hinwies.

Werfel kannte Brand beiläufig seit 1913. Das Wort »Freundschaft« wäre für diese Beziehung etwas pathetisch gewählt. Daß der christliche Brand im wahrsten Sinne des Wortes proletarischer (nicht etwa kleinbürgerlicher) Herkunft war und der ältere Werfel Sohn eines reichen jüdischen Hauses, wäre an sich dem Aufkommen einer Freundschaft in keiner Weise hinderlich gewesen. Aber die Beziehung war bei Werfel von Anbeginn auf dem bei ihm immer machtvoll wirkenden Element des Mitleids, des Erbarmens, der humanen Ergriffenheit aufgebaut; von seiten Brands auf grenzenloser Bewunderung, ja fast erotisch untermalter Liebe für das lebensbejahende und siegessichere lyrische Genie. Brand litt an Lungenschwindsucht, der ein doppelseitiger Pneumothorax nicht abhelfen konnte. Seine beste Medizin war seine lyrisch-epische Begabung und das Beisammensein mit seinen literarischen Bekannten. Er starb 1918. Werfel und ich besuchten ihn während der letzten Klimax seiner Krankheit, und ich wachte an seinem Sterbelager in der alten ärmlichen Hofwohnung in dem düsteren Barockhaus auf dem Radetzky-(später Kleinseitener-)Platz, einem mürben Bauwerk, in dessen verzwickten Stockwerken, makabren Korridoren, hofumklammernden Loggien und im Nichts endenden Dachböden man sich selbst abhanden kommen mochte wie ein Angeklagter Kafkas.

Als Brand noch beweglich gewesen war – bis etwa Anfang 1918 –, war ich oft mit ihm spazierengegangen und hatte ihn auch meistens aus dem Café »Arco« durch die Altstadt und über die figurengeschmückte Karlsbrücke heimbegleitet. Er wußte, daß er bald sterben würde, und sprach davon in seiner letzten Zeit eher mit Neugier als mit Angst. Er hatte mir das Versprechen abgenommen, seinen dichterischen Nachlaß zu veröffentlichen. Gedrucktsein heißt dableiben, so glaubte er. Non littera scripta sed littera impressa manet. Ich habe dieses Versprechen eingelöst, so gut ich konnte. 1920 gab ich im Verlag Eduard Strache, Wien-Prag-Leipzig, eine Auswahl von Brands Gedichten und Prosastücken unter dem Titel heraus: ›Karl Brand, Das Vermächtnis eines Jünglings‹. Ich hatte Werfel, der damals schon in Wien lebte, gebeten, zu diesem Buch ein Vorwort zu schreiben, das den Band einleitet, dem ich noch einen kleinen Epilog hinzufügte. Brand sollte gleichsam Arm in Arm mit seinen nächsten Kameraden erscheinen. Werfel hatte sein Vorwort mit eigener Hand sehr schön kalligraphisch von seinem Entwurf abgeschrieben, und ich verwahre dieses Manuskript noch heute in New York.

Wie sich Brands Texte darboten, beziehungsweise wie ich sie aus seinen eigenen Vorlesungen kannte, handelte es sich zwar nicht um große oder weltbewegende Kunstwerke, aber was er schrieb, enthielt überall die kotyledonenartigen Ansätze eines bedeutenden Dichters, den sein Schicksal, seine Todeskrankheit nicht zur Vollendung gelangen ließ. Darüber hinaus war Brand symbolisch für eine sich nach neuer Form, nach reinem Ethos verzehrende Jugendlichkeit, die ihn liebenswert machte. Solcherlei Wahrnehmungen bestimmten sowohl Werfels (die zeitlichen Entwicklungen teils überdehnende, teils zusammendrängende) Vorrede als auch mein Schlußwort. »Die Kraft der Generation« – so Werfel –, »die unter dem Unstern dieser Läufte [gemeint war der Krieg und seine seelischen und sozialen Voraussetzungen] ins Leben trat, war das Bekenntnis zum Schiffbruch, der besessene, der unbedingte Sprung ins Meer.« Ich konnte Brand um einiges positiver sehen. Wohl mochte in ihm ein bestimmter dichterischer Typus zu Worte kommen, »wenigstens einmal in ganzer Feierlichkeit«, aber ich glaubte zugleich selbst in seinen schöpferischen Unbeholfenheiten individuelle Schätze zu erkennen.

In seinem Buch ›Gespräche mit Kafka‹ vermerkt Gustav Janouch eine kurze Unterhaltung über Brand, die sich irgendwann im Herbst 1921 abgespielt haben dürfte. Janouch war damals achtzehn Jahre alt. In dem Gespräch nahm Janouch Bezug auf den kurz vorher von mir herausgebrachten Nachlaß Brands und notiert, was Kafka ihm über den Verstorbenen sagte: »Es war so ein unglücklicher junger Mensch, der zwischen den hundertjährigen Juden der Kaffeehäuser sich verirrte und starb. Was sollte er auch tun? Die Kaffeehäuser sind die Katakomben der Juden in dieser Zeit. Ohne Licht und Liebe. Das erträgt nicht jeder.« Die »hundertjährigen Juden« des Café »Arco« sind selbstverständlich parabolisch zu nehmen. Physisch war Kafka an jenem Kaffeehaustisch, an dem er mit Brand gesessen war, zwar so ziemlich der älteste, aber er zählte damals (1913–1918) selbst erst dreißig bis fünfunddreißig Jahre. Was er im Sinne hatte, war also das metaphysische Alter, die hundert- und tausendjährigen Kümmernisse, die auf den Schultern aller über die Welt dahinlebenden Diasporajuden lasteten. Die Kaffeehäuser mochten für sie die Katakomben darstellen, darin sie in verhältnismäßiger Sicherheit ihre Riten befolgen konnten. Der junge Brand erschien danach Kafka mitten unter den Kaffeehaus-Patriarchen als verirrter und todgeweihter Fremdling. Kafka selbst war übrigens weder ein regelmäßiger noch häufiger Kaffeehausgast. Wenn er aber kam, erteilte er der Runde, auch ohne viel zu reden, ein so entschiedenes Gepräge, daß man das Gefühl hatte, er sei immer anwesend, was ja auch in einer bestimmten Art tatsächlich im Geiste zutraf.

Daß nun Brand – nach Kafkas Meinung – am »Arco«-Tisch das Gefühl haben mochte, in ein Labyrinth geraten zu sein, daran war wohl insoferne etwas Richtiges, als Brand-Müller aus der naiven Umwelt seines elterlichen Haushalts, wo unter einem Kruzifix und einem Madonnenbild Tag und Nacht fromme Öllichter brannten, in eine Sphäre geraten war, in der die besten Geister jeweils ihrer eigenen Religiosität nachhingen, wobei sie im Gespräch am wenigsten vernehmbar wurden, während eine Entourage geschwätziger und alles besser wissender Intellektueller ihre stark hervortretenden agnostisch-nihilistischen Geräuschkulissen beisteuerte. Dazwischen starb Brand dahin, man merkte ihm an, daß er es wußte; und daß Kafka an sich selbst ähnliches ahnte, war wohl eine verhohlene Gemeinsamkeit, die sich – wie ich noch zeigen werde – in einer Äußerung Kafkas über Brand deutlich offenbaren sollte.

Wie aber nun Brand eigentlich dazugekommen war zu dichten, das läßt sich bei ihm ebensowenig erklären wie bei anderen Dichtern sonst. Sein Heim, wenn man es so nennen konnte, hatte lediglich die »Poesie der Armut«, die ja der Arme selbst ebensowenig empfindet wie der Bergbauer die Herrlichkeit der Natur an einer Lawine. Es gibt arme Dichter, ob nun gut oder schlecht; und die Reichen dichten auch entweder gut oder schlecht. Und es wäre billig, zu kommentieren, es sei vielleicht doch dieser »große Glanz von Innen« gewesen (den schon Rilke wahrnahm, was ihm oberflächliche Beurteiler verübelten), der das Dichterische bei Brand in Brand setzte. Eher schon mochte das Unabwendbare der dahinschwelenden Todeskrankheit eine treibende Kraft abgeben, das buchstäbliche Verbrennen des Jünglings, »Flamme bin ich sicherlich«. Die Heftigkeit von Kafkas Schaffen, in den Jahren, in denen er seines nahen Todes schon sicher war oder ihn für sehr wahrscheinlich halten mußte, war ein ähnlicher Prozeß. Aber auch gesunde, vitale, lebensfreudige, in einem langen Leben gesicherte Menschen dichten, ob nun gut oder schlecht. Die stille Verzweiflung, der jubelnde Glaube: beide können ihre Dichter hervorbringen, gute und schlechte.

Des Unterschiedes muß gedacht werden, daß Kafka seine literarische Verlassenschaft vernichtet, Brand aber die seine leidenschaftlich gerne veröffentlicht haben wollte. Das ist zunächst ein Überlegenheits-Unterschied. Kafka war groß. Wesentliches von ihm war schon erschienen. Er genoß nicht die weitreichende und bereits Weltruhm andeutende Publizität Werfels, aber er wandelte in der rückhaltlosen Verehrung oder scheuen Bewunderung seiner Freunde. Er war demütig und nicht ohne die Flaubertsche Qual des Zweifels an seinen dichterischen Kräften; aber er hätte töricht sein müssen, um seinen Rang nicht zu kennen. Da er ihn kannte, mochte er sich auch jene briefliche Verfügung an seinen Freund Max Brod leisten, die dieser zum Glück nicht befolgte und der Welt so den Nachlaß erhielt. Von dem Jüngling Brand war (mit Ausnahme einiger weniger Gedichte, deren Veröffentlichung ich übrigens selbst bewirkt hatte) so gut wie nichts erschienen. Und wer stünde nicht als junger Dichter unter der Magie, daß das Veröffentlichtwerden höchstes Glück der Erdenkinder bedeute? Das Selbstgefühl eines jungen Dichters kommt nicht aus ohne diese unerläßliche Bestätigung. Und welcher Dichter oder Schriftsteller oder überhaupt Künstler ist völlig frei von dem Bedürfnis nach einem gewissen Exhibitionismus? Er möchte nicht nur formen, gestalten, aussagen, darstellen, verkünden, lehren und wirken, er will sich selbst in seinen seligen und unseligen Momenten zeigen, in dem, was er als seine herrlichsten Triumphe empfindet, und sogar in dem, was er für seine tiefste Erniedrigung hält. Brand, sich im Sterben wissend, wollte nicht nur in seinen Dichtungen weiterleben, er wollte durch sie geradezu jetzt erst wirklich zu leben beginnen. Wie stark er dies wollte, das fühlte ich erneut noch nach siebenunddreißig Jahren, als ich die Erzählung ›Vermächtnis eines Jünglings‹ schrieb und dabei Brand in mir wieder zum Leben aufrief und abermals neben seinem Sterben wachte.

Am Ende dieser Erzählung steht eine Mitteilung Kafkas an mich, die auch sonst bekannt und übrigens in der von Max Brod besorgten Ausgabe der Briefe Kafkas enthalten ist. In New York, wo ich wohne, blicken mich diese in seiner feinen Handschrift festgehaltenen Gedanken Kafkas täglich an, zusammen mit anderen Zeilen, die er an Gertrude Thieberger richtete, lange bevor sie noch meine Gattin geworden war. In jener Äußerung (vom 17. Februar 1922) greift Kafka die von mir herausgegebene Anthologie von Brands Gedichten und Prosastücken auf. Die Worte Kafkas aber sind von besonderer Wichtigkeit, denn sie sind für den Dichter Kafka selbst ebenso kennzeichnend wie für seine menschliche Beziehung zum Falle Brand, die sich als viel tiefer erweist, als man nach seiner Bemerkung zu Janouch vermuten möchte. Kafka analysiert das Buch mit einem einzigen Satz, der in mehreren Terrassen verläuft und ein geradezu klassisches Beispiel für Kafkas Fähigkeit darstellt, ein Phänomen völlig in seiner ganzen Breite zu umfassen und zugleich dessen Tiefgang vollkommen auszuloten. »Zuerst Werfels sehr einfache und schreckliche Wahrheit ..., dann das Sterben dieses jungen Menschen, der Drei-Tage-und-Nächte-Schrei, man hat in Wirklichkeit keinen Laut davon gehört, und wenn er hörbar geworden wäre, wäre man paar Zimmer weitergegangen, es gibt keinen anderen ›Ausweg‹ als diesen, und schließlich Ihr männliches und trostreiches Nachwort, zu dem man sich natürlich am liebsten schlagen würde, wenn es nur nicht, wie es in der Natur des Trostes liegt, zu spät käme, nach der Hinrichtung.« Welch ein Satz! Kafkas ganze Erscheinung ist darin enthalten. Man hört den Tonfall seiner Stimme. Die Worte, mit denen er den Empfang des Buches bestätigt, gewinnen unwillkürlich das volle Gewicht eines Prosastücks, das nicht aus der bloßen Anschauung, nicht aus den immanenten Mächten des

Stils, sondern aus dem Abgrund des Erlebnisses emporsteigt, aus der Erschütterung des Herzens, aus einer innersten Angst und aus der sich erhebenden Selbstanklage. »Hinrichtung« nennt er den Tod.

Und alle seine Tode stehen da vor uns, vor allem jener in der ›Verwandlung‹, was insbesondere durch zwei weitere Sätze Kafkas bekräftigt wird, wovon der eine dem zitierten Zentralsatz vorangeht, der andere ihm folgt. Sie lauten: »Das Buch hat mich im Wesen aber auch im Aufbau an ›Iwan Iljitsch‹ erinnert!« Und ferner: »Es ist bei Iwan Iljitsch nicht anders, nur ist es hier im ›Vermächtnis‹ noch deutlicher, weil jedes Stadium sich besonders personifiziert.« Wie kommt nun Kafka plötzlich auf Tolstojs ›Tod des Iwan Iljitsch‹? Zunächst ist hier zu bemerken, daß Kafka die Erzählung kurz vor seiner Zuschrift an mich wieder gelesen hatte (Tagebucheintragung Dezember 1921). Ich sage »wieder gelesen«, denn selbstverständlich kannte er diese vielleicht großartigste Novelle Tolstojs schon seit Jahren. In Prager literarischen Debatten spielte die Bezugnahme auf sie keine geringe Rolle. Ich selbst las sie 1914, und die Anregung hiezu ging von Gesprächen am »Arco«-Tisch aus. Kafka aber mußte sie schon mindestens seit 1912 kennen, denn seine damals begonnene ›Verwandlung‹ verleugnet nicht die Eindrücke von Tolstojs erschütternder Darstellung des allmählichen, unausweichlichen und unverstandenen Sterbens eines Menschen. In Brand nun, der Kafka 1913 entgegentrat, war die Figur von Kafkas Gregor

Samsa (sogar mit der entsprechenden Genauigkeit des gleichen Prager Lebensmilieus) leibhaft geworden, ja Kafka mochte in Brand (wie in Samsa) sein eigenes allmähliches, unausweichliches und unverstandenes Sterben vorgespiegelt sehen, noch ehe es ärztlich diagnostiziert war. Und so schlösse denn der Hinweis auf Leben und Sterben des Iwan Iljitsch in Verbindung mit Leben und Sterben Brands den Ring mit Leben und Sterben des Gregor Samsa und vorwiegend mit Leben und Sterben Kafkas selbst.

Der Schrei »Kairo!«, den Brand gelegentlich mitten in einem qualvollen Hustenanfall schrill ausstieß, war ein Ausbruch leidenschaftlicher Lebenssehnsucht, ein Traumschrei nach Sonne, Farben, orientalischen Gluten, der tantalische Durst nach einem Lebendigsein, wie es dem Jüngling in dem grauen, schimmelnden Gemäuer des alten Kleinseitener Hauses, darin er dahinsiechte, versagt blieb. Kafkas heiße Liebe der Oper ›Carmen‹ mit ihrer konzentrierten Vitalität war eine ähnliche Erscheinung. Hiefür bewahrt meine Frau noch verschiedene Zeichen Kafkas, denn mit ihr besuchte er ›Carmen‹ wiederholt, schrieb ihr auch darüber und trug ihr (1913) in eines der ersten Exemplare seines ersten Buches ›Betrachtung‹ ein Zitat aus Mérimées ›Carmen‹-Novelle ein. (Siehe Brods Ausgabe der Briefe Kafkas, Seiten 116/117.)

Kafkas (auf S. 15 bereits zitierte) Bemerkung über ›Die Verwandlung‹ (1916) »Was sagen Sie zu den schrecklichen Dingen, die sich in unserem Hause abspielen?« hat zugleich topo- und autobiographische Bedeutung. Die Kafkas wohnten in Prag ein paar Schritte von Thiebergers. Sie waren nächste Nachbarn. Bei uns im Hause? Gewiß. Der Mensch, mit dem sich die schrecklichen Dinge abspielten, war eben Kafka selbst. Es verging noch etwa ein Jahr, ehe Kafkas Todeskrankheit von den Ärzten eindeutig konstatiert wurde. Aber in Wahrheit hatte er sich selbst in der ›Verwandlung‹ schon vorher die tödliche Diagnose gestellt. Er wußte, daß es keine Erlösung für ihn gab, aber er wollte, solange er lebte, in jedem Augenblick dennoch der Erlösung würdig sein. Als Brand 1918 starb, als Kafka 1921 ›Iwan Iljitsch‹ wieder las und als er mir dann kurz nachher über das Brand-Buch schrieb, da hatte Brands Schicksal für ihn selbst eine warnende Vorbedeutung erlangt.

Tolstojs ›Iwan Iljitsch‹, Kafkas ›Verwandlung‹ und Brands ›Vermächtnis‹ verschlingen sich ineinander und bilden eine Wesenseinheit. Deshalb ist Brand von tieferer Bedeutung für die Literatur, als er selbst ahnen mochte oder als Werfel oder ich wissen konnten, da wir die schmale Leier, die er hinterließ, postum noch zum Erklingen brachten. Vielleicht hat Brand – wenn man es streng nehmen will – als Person nicht »gelebt«, hat nicht das erfahren, was man in vollem Umfang Leben nennt, aber den Tod, den hat er erfahren, und es gibt ein Sterben, das unsterblich machen kann.

VI Der Hebräischlehrer

Er hieß Friedrich Thieberger, war Doktor der Philosophie, ein besonders geschätzter Schüler des hervorragenden Prager Germanisten August Sauer, der etwas später auch mein Lehrer war. Er war der älteste Sohn des Prager Rabbiners Dr. Karl Thieberger, und obwohl er sich als äußeren Beruf den eines Gymnasialprofessors für lebende Sprachen gewählt hatte, blieb sein innerer doch die Kenntnis und Deutung der heiligen jüdischen Texte. Solche Deutung aber vollzog sich bei ihm nicht etwa bloß in einer rationalen Sphäre. Sie lag auch in einer persönlichen Lebenserfüllung der Schriften, die er so gewissermaßen auch vermöge der Art seiner eigenen Existenz zu interpretieren suchte. Wir standen miteinander in einem enthusiasmierten und jugendlichen Streit über das Wesen und die Erfordernisse der Religion schlechthin, in einem Streit, der tiefe Furchen ins familiäre Leben schnitt und sogar zu schwerem, jahrzehntelangen Zerwürfnis, späterhin aber – wie es bei jedem guten und heiligen Streit der Fall ist – zu herrlichster Versöhnung führte. Diesem Streit verdankt mein christliches Grundwesen kostbarste Einsichten in die eigentlichen Tiefen des Judentums und der jüdischen Lehren, unschätzbare Förderungen, die mich im übrigen auch dem Verständnis Kafkas näher brachten, als dies auf dem Wege konfliktlosen Nachdenkens möglich gewesen wäre. Denn wer nicht selbst als Christ oder als Jude um seinen religiösen Bestand hat kämpfen müssen, kann Kafka immer nur äußerlich begreifen, nie innerlich erfassen.

Thieberger und seine Familie war mit Kafka freundschaftlich verbunden, und er hat seine Erinnerungen an diese Zusammenhänge einmal in einer knappen Studie in der Zeitschrift ›Eckardt‹ veröffentlicht. Es ist zur näheren Ergründung Kafkas wichtig, daß dieses Memoire der Vergessenheit und zeitschriftlichen Verlorenheit entrissen werde. Aber darüber hinaus verdient Thieberger (der 1888 in der böhmischen Provinz geboren war, aber in Prag aufwuchs und 1958 in Jerusalem starb) noch ein besonderes geistiges Denkmal. Daß er schon als junger Mensch Verse und Theaterstücke schrieb und sich durch eine deutsche Übertragung der Gedichte des amerikanisch-jiddischen Arbeiter-Dichters und Getto-Troubadours Morris Rosenfeld (geb. 1862 in Polen, gest. 1923 in New York) hervortat, stellte lediglich nur eine Ouvertüre zu seiner sonstigen sehr ansehnlichen Lebensleistung dar, zu der das von ihm 1936 herausgegebene Standardwerk ›Jüdisches Fest - Jüdischer Brauch‹ gehört; ferner sein englisch veröffentlichtes Buch ›King Solomon‹, das unter Verarbeitung neu erschlossenen Quellenmaterials ein plastisches Entwicklungsbild des geistigen und politischen Werdens des Heiligen Landes sowie eine Untersuchung der drei mit Salomons Namen verbundenen Bücher der Schrift bietet. Ein weiteres englisch erschienenes Buch Thiebergers trägt den Titel ›The great Rabbi Loew of Prague‹ und ist für jeden unentbehrlich, der die historische jüdische Kontinuität, also einen integranten Wesensteil des Geistes Prags verstehen will, daher auch für jeden, der die Erscheinung Kafkas inmitten seiner mystisch durchschwelten Prager Umwelt und in mancher Hinsicht auch aus ihr erschließen möchte. Wer aber Kafka nicht bloß im luftleeren Raum und gleichsam als von der Realität abgelösten Schriftsteller, das heißt: falsch verstehen will, der sollte unbedingt vorher Thiebergers ›Glaubensstufen des Judentums‹ abschreiten, einen brillanten Geistesbau, von dem aus die jüdische Lehre und ihre Verwirklichung in klaren Aspekten sichtbar wird. Außer zu Kafka und dem Kreis seiner Freunde stand Thieberger in enger und freundschaftlicher Beziehung zu Martin Buber und zu dem hervorragenden jüdischen Jesus-Forscher und Historiker Joseph Klausner, dessen großes Werk ›Von Jesus zu Paulus‹ er aus dem Hebräischen ins Deutsche übertrug.

Mit einem solchen Forscher und Wisser läßt sich gut und sinnvoll streiten, besonders wenn man ihn verurteilt, später zum eigenen Schwager zu werden.

Aber wir führten selbstverständlich auch friedsame Gespräche und besonders oft über Kafka, den Thieberger schon kurz nach seiner eigenen Prager Universitätszeit, also etwa ein bis zwei Jahre vor mir kennengelernt hatte. Die Thiebergers bewohnten damals das später durch einen Roman unseres Freundes Ben Gavriël weithin bekannt gewordene Haus in der Karpfengasse, einige Schritte nur vom Altstädter Ring, an dem und um den Kafkas verschiedene Wohnstätten lagen. Thieberger, der um fünf Jahre jünger war als Kafka, fand diesen im Gespräch »weniger aktiv als reaktiv«. Und das ist wirklich richtig. Kafka drängte sich niemals mit Ansichten vor, sondern wartete still die Initiative des andern ab. »Aber wenn er im Gespräch auf einen Gedanken reagierte«, so notiert Thieberger, »war man im Tiefsten überrascht: sein Wort kam wie aus einer ganz anderen Welt und paßte doch zu dem, was man gesagt hatte.« Vereinbarung verschiedener Welten, Grundformel des Metaphorischen. Ich habe dieses gleichzeitige Ferne- und vollkommen Gegenwärtigsein, dieses Über- und zugleich In-der-Sache-Stehen Kafkas selbst auch immer wieder erlebt und übrigens auch dargestellt. Jeder hat es erlebt, der mit ihm in Berührung kam.

Die Parabel war immer mit ihm, die doppelte und dreifache Spiegelung, die ja auch in der magischen Komparserie seiner Erzählungen eine so bedeutende Rolle spielt. Die Ungewöhnlichkeit seiner Präsenz hatte vielleicht nicht geradezu die Aura der »Heiligkeit«, sie hatte aber jenen Magnetismus, der die Anwesenden oder den Gesprächspartner wie von selbst auf ein höheres Niveau rückte, und war vielleicht – wenn man so will – »heilig« in dem Sinne, daß niemand in Kafkas Gegenwart etwas »Gewöhnliches« gewagt hätte. Eine bedeutende Erscheinung macht ja ihren Rang vor allem dadurch fühlbar, daß sie den der Umgebung erhöht. Sie hat nichts Herablassendes, sondern etwas Emporhebendes. An gute Schriftsteller, bildende oder darstellende Künstler, Gelehrte und Musiker, Deutsche wie Tschechen, Christen wie Juden, aus Kreisen der Arbeiterschaft, des Bürgertums oder des Adels waren wir ja im Prag jener Zeit zur Genüge gewöhnt. Es wehte dort eine Begabungen erzeugende und fördernde Luft. Allenthalben konnte man bewundern, sich erfreuen und der Anregungen die Menge finden. Aber solche Kriterien würden eben zur Kennzeichnung Kafkas nicht ausreichen. Denn es war wirklich so, wie Thieberger es beschreibt: »Wenn Kafka zu irgendeiner Veranstaltung kam, hielten alle den Atem an: Kafka ist da! Er selbst war möglichst unbemerkt hereingeschlichen und wäre am liebsten gleich wieder aus dem Umkreis der Menge davongegangen.« Ganz richtig! Ich habe es selbst mehrmals erlebt, wie die ganze Atmosphäre eines Raumes oder Saales sich da gleichsam wie mit einem Schlage veränderte. Dabei stand Kafka irgendwo ganz hinten in einem Winkel. Aber es war, als hätte ein ungesehener Saaldiener dem Vortragenden zugeraunt: »Geben Sie acht mit allem, was Sie von jetzt an sagen werden. Kafka ist doch soeben gekommen.« Dieser unwiderstehliche Zauber hatte für mich immer die Beweiskraft des Ewigen. Sie dauert noch heute an. Das bestimmte Gefühl der plötzlichen Veränderung des inneren Koordinatensystems einer ganzen Zuhörergruppe oder Gemeinde, ja geradezu der räumlichen Proportionen eines Saales vermöge der bloßen schweigenden Anwesenheit einer Persönlichkeit habe ich sonst bei keinem anderen Genie gehabt, dem zu begegnen ich allenfalls das Glück oder die Ehre hatte.

Zu einer a. a. O. erwähnten Widmung, die Kafka der Schwester Thiebergers, Trude (meiner späteren Frau), in ein Exemplar seines ersten Buches ›Betrachtung‹ schrieb, bemerkte Thieberger etwas sehr Hübsches über Kafkas Handschrift. Er sagte, es sei »eine zierliche Schrift, in der nur die heftigen vertikalen Stäbe der großen Konsonanten den Eigenwillen des Schreibers zeigten und in der die kindliche Freude wiedererkennbar war, die er an den kleinsten Dingen des Alltags nahm, um sich vor den Schatten schwerer Gedanken zu schützen.« Vielleicht – so scheint mir wenigstens – impliziert diese Bemerkung eine verhohlene Anspielung auf die Prävalenz des hebräischen Konsonantenalphabets, das vielleicht jedem Juden unwillkürlich urtümlich ist. Was aber die »Schatten schwerer Gedanken« anlangt, möchte ich von Thiebergers Folgerungen insoferne abweichen, als ich Kafkas kindliche Freude an den kleinsten Dingen des Alltags nicht als eine Schutzmaßnahme betrachte. Diese Freude war eher eine ihm inhärente Haltung der Welt gegenüber. (Nebenbei: die Widmung, von der Thieberger ausgeht, schrieb Kafka ja etliche Jahre, bevor er sich seines schweren Krankheitszustandes bewußt wurde; indessen »schwere Gedanken«, die ihn allenfalls beschatteten, waren bei ihm am allerwenigsten egotistisch oder gar physisch bedingt.) Es ist oft genug interpretativ erkannt worden, daß es für ihn im Grunde nichts »Kleines« gab und alles und jedes seine autonome Bedeutung sowohl für sich selbst als auch für das Ganze hatte. Man muß sich gegenwärtig halten, daß dies die Zeit der entdeckten und erklärten Vorliebe (auch bei Kafka) für ostasiatische Kunst, besonders auch für die des japanischen Holzschnitts war, in der die Tugenden auch der geringsten Einzelheit gleichgewichtig mit allen anderen Werten im Bilde standen; ferner daß Prag – durch Christian von Ehrenfels und seine Schüler – ein Quellpunkt der Theorie der Gestaltsqualitäten war, die das Entstehen des Figürlichen aus den Wechsel- und Rückbezügen aller und auch der mindesten Teile nicht summiert, sondern relationiert; und schließlich, daß sich damals die Erkenntnisse Freuds zu verbreiten begannen. In einer bestimmten Art also war für Kafka die Vollkommenheit auch im Geringsten gegeben und die kleinen Dinge des Tages konnten nicht nur die Anlässe, sondern sogar die großen Stoffe der Dichtung bilden. Solches war sozusagen eine immanente Prager Erkenntnis, die ja auch bei Max Brod, bei Werfel und vorher schon bei Rilke deutlich wurde. Thieberger nahm mit Recht in Kafkas Blick die »Liebe für die sanften Einzelheiten« (wie er sich ausdrückt) wahr, die Kafka an Stifter heranrückt. Es waren dies nicht etwa bloß die sanften Einzelheiten im Gegensatz zu irgend etwas Unsanftem, sondern es war eine die eigentliche Substanz der Dinge bildende Sanftmut, Geduld, Gelassenheit und innere Sicherheit, die Kafka erkannte, die ihn beglückte und die er auch immer wieder oft im unheimlichen, oft im burlesken Kontrast zur Zerrissenheit des Menschen (und hierin ist er homerisch) zur Darstellung brachte.

Kurz nach dem Ersten Weltkrieg trat Kafka an Thieberger mit dem Wunsch heran, er möge ihm Unterricht im Hebräischen erteilen. Einige Vorstudien hatte er bereits in einem Lehrbuch gemacht und damit die Restbestände aufgefrischt, die ihm etwa vom Hebräischen des Religionsunterrichtes der Kindheit und Jugend noch erhalten geblieben waren. Thieberger war nun zwar im Hebräischen ziemlich zu Hause, er verstand – als frommer Rabbinerssohn – Schriften und Texte zu lesen und zu deuten, aber mit der Unterweisung Kafkas zögerte er zunächst, ja – gewissenhaft, wie er war – schlug er Kafkas Wunsch ab, denn er fühlte sich nicht sicher genug in praktischer hebräischer Konversation. »Jedoch« – so berichtet er – »Kafka widerlegte alle meine Argumente mit seinem bittenden Lächeln, in dem so viel Hilflosigkeit und Verzeihung für alle Mängel lag, daß ich schließlich zusagte.« Dieser Satz gibt zwei wichtige Wesenselemente Kafkas wieder. Das Kindliche nämlich, das sich im unwiderstehlichen, bittenden und etwas hilflosen Lächeln ausdrückt, und zugleich das Überlegene, dem Mängel als natürlich und selbstverständlich gelten. Diese beiden Züge konnte man in ihrer Simultaneität immer bei Kafka wahrnehmen, nicht bloß im Leben, sondern auch in seinen Schriften, deren Identität mit seinem Leben mit der gleichen Identität bei Thoreau oder bei Stifter vergleichbar ist. Wenn er Dinge oder Menschen schildert, so tritt er fast immer gleichsam mit einer naiven Bitte an sie heran, er bestürmt und bedrängt sie nicht, reißt sie nicht an sich oder wirft sie aus ihrer Bahn; zugleich aber bekundet sich bei ihm die Überlegenheit des Verzeihens, die ja in unmittelbarer Nachbarschaft der Ironie behaust ist.

Der Hebräisch-Unterricht vollzog sich regelmäßig in Kafkas damaliger Wohnung auf dem Altstädter Ring, die Thieberger in ein paar Schritten von seiner in der nahen Karpfengasse erreichen konnte. Und Kafka, damals fünfunddreißig Jahre alt, studierte mit dem Eifer eines wißbegierigen Knaben und mit jener Sorgfalt, die ihm bei allem eigen war. »Er nahm es«, erzählt Thieberger, »mit dem Vokabelheft und den schriftlichen Übungen sehr genau und war sehr ungehalten, wenn er irgendeine Unpräzision im System des Lehrbuchs entdeckte.« Um jene Zeit war sich Kafka freilich bereits seit mehr als einem Jahr der Ernsthaftigkeit seiner Erkrankung bewußt, die man äußerlich dem hochgewachsenen und elegant dahinschreitenden Mann nicht ansah und deren Bedenklichkeit von seinen Freunden nur Max Brod gegenwärtig war. Und so mußte es Thieberger allerdings überraschen, als Kafka – um sich wegen einer versäumten Hebräisch-Aufgabe zu entschuldigen – plötzlich die Worte hervorstieß: »Ich bin krank, ich bin sehr krank.« Kafka sagte dies auf hebräisch. Und Thieberger mochte zwar für den Augenblick erschrecken, aber er war ja selbst noch ein junger Mensch, und ob er schon kurz vorher seinen Vater verloren hatte, wehrte sich doch in ihm die gesunde und stets hoffende Natur (denn Hoffnung ist das Hauptkriterium der Gesundheit), bei einem anderen noch jungen Menschen das Unerbittliche einer verzehrenden Todeskrankheit anzunehmen.

Nun ging wohl das Hebräisch-Studium Kafkas nicht bloß auf das Bedürfnis zurück, ein Jugendversäumnis nachzuholen, das eine Folge der Assimilationstendenzen seiner und zahlloser anderer jüdischer Familien gewesen war; auch nicht etwa bloß auf Kafkas enge Verbindung mit seinen zionistischen Freunden, zu denen ja übrigens auch gerade Friedrich Thieberger selbst gehörte; es war nicht bloß eine erklärliche Reaktion auf den Weltkrieg, der sämtliche Probleme des europäischen Judentums weit aufgerissen und sie mitten in das Tohuwabohu der übrigen ungelösten und vielleicht unlösbaren Probleme der Staaten, Nationen und Klassen hineingeworfen hatte. Zweifellos lag im Hebräisch-Studium Kafkas vorerst das Suchen nach einer in ihren Fundamenten gesicherten und ebendeshalb auch zukunftsreicheren Welt, aber es war – und das ist zu betonen – vor allem die Suche nach dem Heiligen, das dem europäischen Dasein (und auch einem erheblichen Teil des jüdischen) abhanden gekommen war. Ein jüdischer Gelehrter wollte Kafka gewiß nicht werden. Dazu hätte es wohl der Hingabe eines ganzen Lebens bedurft und nicht einiger weniger Hebräisch-Stunden. Wohl aber glaubte er – und mit Recht –, vermöge einer gewissen Hebräischkenntnis seinen eigensten und zentralen Problemen eher beikommen zu können, der Gottes-Idee und dem alles überschattenden Todesproblem, darinnen alle Fragen vom Sinn des Lebens, von Recht und Unrecht, von menschlicher Existenz und Koexistenz mit inbegriffen sind. Diese Probleme waren viel zu alt und abgründig, um durch eine moderne Gebrauchssprache auch nur annäherungsweise erfaßbar zu sein, deren Instrumentarium viel späteren Epochen angehörte. Wohl mögen sich Texte aus der oberschichtigen Zone einer Sprache, das heißt eines Symbolsystems, in die Oberzone einer anderen hinüberdeuten lassen. Imponierende Leistungen solcher Kunst liegen ja gerade bei der Bibel vor, im Deutschen seit Luther bis zu Buber-Rosenzweig. Aber eine Denk- und Gefühlswelt läßt sich niemals adäquat in der Sphäre einer anderen Denk- und Gefühlswelt wiederholen. Hierin vor allem und nicht bloß in der Verschiedenheit der Sprachen liegen ja die Ursachen des Einander-nicht-begreifen-

Könnens von Völkern, ja sogar von Menschen gleicher Sprache. Denn die jeweilige Sprache ist ja nur der Inbegriff der gleichsam stenophonischen Siegel, die innerhalb der gleichen Lebens- und Geistesgemeinschaft als gegenseitiges Verständnismedium in Gebrauch sind. Ich kenne christliche Theologen, die in Jerusalem die Jeshiwa besuchten und besuchen, um von jüdischen Schriftgelehrten in der Sprache der Thora, des Talmuds und der Kabbala unterwiesen zu werden, da sie erkannt haben, daß sie ihr eigenes Christentum nur in der Sprache Jesu und der Synoptiker begreifen und erleben können.

Der Rabbinerssohn und Religionsforscher Thieberger mußte Kafka als der geeignete Mann erscheinen, ihn mittels der Sprache der Väter auch an deren Denkweise und religiöse Aspekte heranzuführen. Denn Thieberger hatte sich ja das Hebräische nicht im gewöhnlichen Sinne schulmäßig angeeignet, er hatte es von Kindheit an mit seiner ganzen Lebenserziehung in sich aufgenommen und aufgelöst. Und so nahm Kafka bei ihm eben nicht bloß Hebräisch-, sondern Religionsstunden. Vielleicht gingen die Kämpfe, die ich mit Thieberger gerade um jene Zeit über Probleme der Religion führte, als er Kafka Hebräisch lehrte, größtenteils eben darauf zurück, daß ich meine christliche, katholisch betonte Ideologie bloß aus dem Deutschen bzw. Lateinischen errichtet hatte, besonders sogar aus letzterem, das mir auch heute noch bei jeder religiösen Anwandlung geläufig ist, sogar geläufiger als das Deutsche, so daß wir – Thieberger und ich – von verschiedenen Ebenen aus diskutierten, wobei er freilich von seinem traditionell verfestigten Lebensgrund aus mit größerer Sicherheit focht. Es war daher eine bedeutende und mir unvergeßliche Haltung, wenn Thieberger damals, in jener Zeit, in der er und ich, jeder in seiner Art, mit Kafka persönlich in Berührung waren, mir in einem langen Brief seine Einwände gegen meine Auffassungen darlegte, aber diesen Einwänden zugleich etwas Schwebendes erteilte, indem er mit den Worten schloß: »Bleiben wir zueinander im Gleichgewichte der Demut«, ein Wort, das auch seiner nahen und bewundernden Verbindung zu Buber würdig war. Zur Demut freilich gehört sowohl eine seelische Grunddisposition als auch eine lange und tiefe Daseinserfahrung. Jeder von uns beiden bedurfte daher seit jener Zeit noch vieler Jahre, um der Demut wirklich näherzukommen. Kafka hingegen hatte vor uns sehr viel an Demut voraus. Es war schon Demut, daß er überhaupt mit mir sprach und sich gelegentlich meine Meinungen anhörte. Demut ist ein Grundelement der religiösen Existenz. Niemand ist religiös ohne Demut.

Aus den Gesprächen Thiebergers mit Kafka scheinen mir zwei Äußerungen von besonderem Interesse. Die eine bezieht sich auf die Autobiographie Benjamin Franklins, die – wie ich schon in dem Abschnitt ›Edison und Kafka‹ hervorhob – Kafka mit großer Aufmerksamkeit gelesen hatte. Franklin, der große Erfinder, und Edison, der große Erfinder, waren ja von einem gemeinsamen, sehr typischen Amerikanismus gekennzeichnet. Franklin, darüber hinaus, verließ bei all seinem Realismus nie den religiösen Lebensgrund. Mit seinem täglichen Abendgebet wandte er sich weniger an Gottes Barmherzigkeit als an Gottes Einsicht. Er bat ihn um »reasonable health«, also um ein vernünftiges Wohlsein, nicht um eine unvernünftige Jugendlichkeit. Und gerade von ihm stammt ja auch der tiefe, für einen heutigen Amerikaner vielleicht überraschende Satz: »No man has been totally born, until he is dead« – Kein Mensch ist völlig geboren worden, ehe er tot ist. Franklin gehörte mit Rousseau und Goethe zu den ersten großen autobiographischen Bekennern der neueren Zeit, und das mußte Kafka sehr bewegen, dessen gesamtes literarisches Werk in der Tat ja nur aus »Bruchstücken einer großen Konfession« besteht. »Ich lese eben die Lebensgeschichte Franklins«, sagte er. »Wie viele Kinder es doch in seinem Elternhaus gab! Wie muß das ausgesehen haben, wenn sie so alle um den Tisch saßen und der Vater vor ihnen. « Mit Recht glaubt Thieberger in dieser Bemerkung eine Quelle zu der in dem Band ›Ein Landarzt‹ enthaltenen Erzählung ›Elf Söhne‹ zu erkennen, darin die Nächsten einander schon vermöge ihres bloßen Daseins die Fremdesten sind. Selbstverständlich war es eine Anregung aus dem Gegensatz. Der ältere Franklin mit den vielen Kindern bei Tische in frühamerikanischer Familiengemeinsamkeit im alten Boston: das war im Grunde

Kafkas Sehnsuchtsbild, das Leben »dans le vrai«, das er im Hause des eigenen Vaters so sehr vermißte. Es war das Sehnsuchtsbild aller Autoren von Romanen, in denen Traumschlösser gesucht und erstrebt werden, ob nun in Goethes ›Wilhelm Meister‹, in Stifters ›Nachsommer‹ oder in der ›Großmutter‹ der Božena Nemcová. So also ist alles miteinander verwoben, von Boston bis nach Böhmisch Skalitz.

Kurz nachdem Friedrich Thiebergers Vater gestorben war (1918), schenkte Kafka dem trauernden Sohn ein Exemplar seines Bandes ›Ein Landarzt‹. Der Autor hatte es seinem eigenen Vater gewidmet und Thieberger glaubte in dieser Gabe eine sanfte Anspielung auf den Verlust zu erkennen, den er eben erlitten hatte. Es war während einer der Hebräisch-Stunden, daß er sich bedankte und zu Kafka sagte: »Wie glücklich müssen Sie sein, daß Sie das Buch Ihrem Vater widmen konnten.« Kafka wehrte ab. Offenbar kam ihm plötzlich zum Bewußtsein, daß die Widmung eine vertrauliche Intimität zwischen ihm und seinem Vater erkennen ließ, die aber in Wirklichkeit gar nicht bestand, während Thieberger mit seinem eben verstorbenen Vater in ungetrübter liebender Wechselseitigkeit gelebt hatte und in ihm stets das verehrungswürdige Vorbild sah. Und deshalb sagte Kafka etwas erschrocken: »Aber diese Widmung an meinen Vater ist ja ironisch gemeint. Ich habe gestern einen Brief von hundert Seiten an meinen Vater fertig geschrieben, worin ich mich mit ihm auseinandersetze.« Nun war es an Thieberger zu erschrecken. Ein Brief von hundert Seiten Länge! War es vorstellbar, daß zwischen Sohn und Vater überhaupt so vieles zu erörtern sein könnte? Ironisch also sollte die Widmung sein. Sie war es, aber sie war dies in zwei Richtungen: gegen den Vater und gegen Kafka selbst. Ihr feiner, verborgener Spott besagte: »Du wirst es ja doch nie verstehen«, enthielt aber zugleich auch das Zugeständnis: »Ich werde dich ja doch nie verstehen.« Und so scheint in dieser Widmung, trotz ihrer vorgeblichen Ironie, doch etwas Kindlich-Rührendes mitzuschwingen, das die Klagen und Anklagen des berühmten Vater-Briefes wenigstens teilweise wieder außer Kraft setzt. Denn in dem Augenblicke dieser Widmung wirkte doch auch der Wunschtraum mit, vollkommen als Kind und Sohn begriffen zu werden und zugleich selbst auch den Vater vollkommen zu begreifen, eine ja im Grunde unerfüllbare Sehnsucht, wenn man in Betracht zieht, daß eine bruchlose Kontinuität in der Abfolge der Generationen doch nur einen der seltensten Ausnahmezustände der Menschheitsentwicklung bilden kann.

Thieberger war von Kafkas Freunden sicherlich der religiöseste und zweifellos der orthodoxeste, der ja auch im Sinne seines Vaters die Vorschriften für das äußere jüdische Leben streng einhielt. Es war dies – sehr begreiflicherweise – ein häufiger Anlaß für unsere Diskrepanzen. Er sah in der äußeren mosaischen Lebensordnung das kultische Siegel des abstrakten religiösen Ethos, das ins Allgemeine, ins Messianische ausstrahlte. Ich hingegen glaubte, darin ein verkrampftes Festhalten am Überholten, Verflossenen zu erkennen, dem der religiöse Gehalt längst abhanden gekommen war. Die Erfahrung belehrte mich, daß ich im Unrecht war. Denn für den Herausgeber des Werkes über die jüdischen Bräuche lag in jenem Festhalten ein Bekenntnismut, der sich in keiner Einzelheit verleugnen wollte und der übrigens – wie ich wohl weiß – später in schweren Stunden vielen geholfen hat. Thieberger trug also sein Zeichen lange bevor sein – und wie ich mit Freude sage – auch mein Freund Robert Weltsch seinen bedrängten jüdischen Mitbürgern öffentlich die Worte zurief: »Tragt ihn mit Stolz, den Judenstern.«

Daß nun diese Wesenshaltung Thiebergers auf Kafka zurückwirken mußte, versteht sich von selbst. Thieberger war ja auch mit Georg Mordechai Langer nahe befreundet und hat über diesen bedeutenden Kabbala-Forscher ausführlich abgehandelt. Kafkas persönliche Bekanntschaft mit dem Prager Langer, der jahrelang als Chassid unter Ostjuden gelebt hatte und seine Untersuchungen in deutscher und tschechischer Sprache schrieb, war schon vorher durch Max Brod vermittelt worden. Langer war es auch, der nach Thieberger den Hebräisch-Unterricht Kafkas fortsetzte. Doch befaßte sich Kafka hauptsächlich mit Bibel und Talmud und nicht geradezu mit der Kabbala, außer mit deren populären, chassidischen Spätformen. (Siehe Max Brod: ›Johannes Reuchlin‹.) Die Lektionen bei Langer nahm Kafka gemeinsam mit Felix Weltsch und der Lyrikerin und Märchendichterin Miriam Singer.

Thiebergers religionsphilosophisches Lebenswerk ist von der Idee jüdischer Gemeinverantwortung erfüllt, von dem Grundsatz »Kol Israel aréwim sélose«, Ganz Israel, alle sind Zeugen, einer dem andern. Der Sinn dieser Gemeinverantwortung war aber für Thieberger kein bloßer jüdischer Selbstzweck, sondern lag in ihrer paradigmatischen Bedeutung für alle Welt. Und hier leuchtet uns sein Freund und Lehrer Buber entgegen: in der uralten heiligen Mühe der Propheten und ihrem unaufhörlichen messianischen Läuterungskampf gegen die Prüfungen und Leiden der Existenz wie der Ko-Existenz. Und hier auch dringt unweigerlich das Ökumenische, das uns alle heute so tief und mehr denn je beschäftigt und das sich auch mit Kafkas Denkwelt fühlbar berührt, in den Umkreis dieser Betrachtung. Denn wenn Thieberger die Bücher ›Hiob‹, ›Koheleth‹ (Prediger) und die Anrufe der Jeremias und Jesaias als die Haupttragepfeiler des jüdischen Geistesgebäudes galten, so wird gerade in ihnen andrerseits ja auch eine vorwegnehmende Zeugenschaft für die Lehren des Christentums abgelegt, so daß mit Recht einer der modernen Päpste seiner katholischen Christenheit die zurechtweisenden und warnenden Worte zurufen konnte. »Wir sind virtuelle Juden!«

Der Drang Kafkas, mit dem Hebräischen vertraut zu werden, kann nicht als eine philologische Anwandlung betrachtet werden, noch auch bloß als Folge etwaiger zionistischer Vorhaben, es war der Drang nach Gottesnähe, der Drang nach dem Gesetz, denn die Sprache der Schriften ist ja das einzige und unmittelbare menschliche Element, darin die Idee Gottes annäherungsweise erlebt werden kann. Kafka war ein begeisterter Bewunderer von Johann Peter Hebel. Und eine der von ihm am meisten bewunderten Erzählungen aus Hebels ›Schatzkästlein des rheinländischen Hausfreundes›, dem seine eigene Prosaform so vieles zu verdanken hat, war die Erzählung: ›Einer Edelfrau schlaflose Nacht‹. In diesem Prosastück liegt der erzählerische Höhepunkt dort, wo die Edelfrau ihre vom Schicksal bedrängte Dienstmagd um Vergebung der Härte bittet, mit der sie ihr begegnete, und ihr von nun an ihre Hilfe verspricht. Und Hebel, von der Reinheit und Tiefe seiner eigenen Erzählung bewegt, kommentiert nun selbst: »Meint man nicht – bei diesen Worten der Edelfrau –, man höre den lieben Herrgott reden in den Propheten oder in den Psalmen? Ein Gemüt, das zum Guten bewegt ist und sich der Elenden annimmt und die Gefallenen aufrichtet, ein solches Gemüt zieht nämlich das Ebenbild Gottes an und fällt deswegen auch in seine Sprache.« Ich war selbst bei jener Prager Veranstaltung anwesend, in der Kafka mit größter Bewegung den Rezitator Ludwig Hardt diese Erzählung Hebels vorlesen hörte, darin die Sprache der Schriften als die natürliche Sprache der Gottesnähe und des Ethos gerühmt wird. Wir saßen alle nachher im Café »Edison« beisammen, fast alle Prager Freunde Kafkas, der Hardt am nächsten Tag ein Exemplar von Hebels ›Schatzkästlein‹ schenkte mit der Widmung: »Für Ludwig Hardt, um Hebel eine Freude zu machen.« Das war freilich schon einige Jahre nach den Hebräisch-Stunden bei Thieberger. Aber alle diese Einzelheiten sind dicht miteinander verwoben, und man muß sie erlebt haben, um sagen zu können: So war Kafka.

VII Golem-Mystik

Während des Ersten Weltkriegs, im Jahre 1917, wohnte Kafka zeitweilig in einem Häuschen der Alchymistengasse, des Goldmachergäßchens auf dem Prager Hradschin hinter der Burg oberhalb des Hirschgrabens, der zu den kaiserlichen Gartenanlagen gehörte. Dieser höchst romantische und von geschichtlicher Atmosphäre durchdrungene uralte Winkel Prags war zwar schon damals eine gelegentlich von Fremden aufgesuchte Sehenswürdigkeit; doch Fremde gab es in Prag zu jener Zeit nicht so häufig wie späterhin, schon gar nicht während des Krieges, und überhaupt und törichterweise wurde Prag nicht als »Fremdenstadt« betrachtet. Man reiste nach Berlin, nach Wien und nach Budapest, Städte, die das Cooksche Reisebureau auf seinen Programmen hatte, aber Prag schien dieser internationalen Reiseinstitution nicht wichtig genug und blieb unbeachtet, wie denn auch reiselustige wohlhabende Leute aus dem mährischen Brünn oder sogar aus böhmischen Provinzstädten, soferne sie nicht gerade Tschechen waren, es »chicer«

fanden, nach Wien zu fahren, als nach Prag, eine verächtliche Unart und Dummheit, die sehr viel zum späteren Zusammenbruch der österreichischen Monarchie beitrug. Indessen kam sie dem Alchymistengäßchen zugute, denn dieses blieb still und geheimnisvoll, man hörte dort am Abend das leiseste Knacken, und es war eine echte Gasse für Liebespaare und daher zweifellos auch für Dichter, denn nichts daran war dazumal künstlich oder adaptiert. Die winzigen, eng aneinandergekitteten Häuschen, die den Goldmachern des melancholischen Kaisers Rudolf II. als Werk- und Heimstätten gedient hatten, wurden von ärmlichen Leuten bewohnt, die ihre Miniaturhaushalte gegen ein Miniaturentgelt den Besuchern zeigten, allenfalls auch ein Zimmerchen vermieteten. In diesen Räumen befanden sich während der Renaissance, zu Tycho Brahes und Keplers Zeiten, die mystischen Laboratorien, in denen man dem Stein der Weisen nachspürte, dem künstlichen Gold und dem künstlichen Menschen. Der »Golem« freilich wurde nicht hier auf dem Burghügel im Schatten des Veitsdoms geboren, sondern drunten im alten jüdischen Getto jenseits der Moldau. In einem solchen Alchymistenhäuschen also wohnte eine kurze Zeit Kafka. Er arbeitete damals an den Erzählungen des Buches ›Ein Landarzt‹. Es war kurz bevor seine tragische Krankheit diagnostiziert wurde.

Prag von der Höhe des Hradschin oder von der unterhalb gelagerten Kleinseite aus zu erleben ist etwas völlig anderes als das Stadterlebnis inmitten der Altstadt. Der Hradschin vermittelt den königlichen, den imperialen panoramatischen Eindruck, die Altstadt den bürgerlichen und volklichen. Zwischen dem linken und dem rechten Ufer der Moldau bestanden zu allen Zeiten mehr als topographische Unterschiede, tiefe Verschiedenheiten des Gehabens, ja sogar der Sprache. Das »Kleinseitener Deutsch« mit seinem scharfen »S« und seinen knappen Vokalen war anders als das weichere, etwas behäbigere Deutsch der Altstadt. Die prunkvollen Paläste der königlichen und kaiserlichen Vasallen am Abhang des Burghügels erteilten diesem Stadtteil die unbeirrbar konservative Note, der sich die dazwischengeschalteten Beamten- und Bürgerhäuser anpaßten. Später einmal (1878) hat der vorzügliche tschechische Erzähler Jan Neruda in seinen ›Kleinseitener Geschichten‹ die Welt des linken Prager Moldauufers bezaubernd eingefangen, eines der übrigens sehr wenigen dichterischen Prag-Bücher aus tschechischer Feder. Nicht nur die Hradschiner, auch die Kleinseitener Umwelt gehört zu Kafka. Er hatte dort kurze Zeit auch ein Zimmer im gräflich Schönbornschen Palais inne.

Um von der Alchymistenwelt droben bei der Burg zur jüdischen Welt des Golem rund um die Altneusynagoge zu gelangen, hatte man die Moldau auf der historischen Karlsbrücke zu überqueren und die barocke Statuenallee der katholischen Heiligen zu passieren, mit denen die triumphierende Kirche den Sieg ihrer »Gegenreformation« über das protestantische böhmische (tschechisch- und deutsch-böhmische) Rebellentum des Dreißigjährigen Krieges ebenso symbolisierte wie mit der Marienstatue in der Mitte des Altstädter Rings, die erst 1918 bei der Errichtung der Republik niedergeworfen wurde, um dem bronzenen Blick des religiösen und nationalen Blutzeugen Jan Hus endlich freie Sicht zu gewähren. Kafka hat den Altstädter Ring, das Zentrum seines Prager Daseins, in drei Fassungen erlebt: erst bloß mit der Mariensäule; dann in der kontradiktorischen Gemeinschaft der katholischen Madonna und des Husmonuments, das expressis verbis jedermann zurief: »Pravdy každému přejte«, was so viel heißt wie: Gleiches Recht für alle; schließlich nur noch mit Hus.

Aber die Welt der Hradschin-Alchymisten und die rabbinische Golemsphäre der Prager Judenstadt, die knapp hinter dem Altstädter Ring begann, waren miteinander nicht nur durch die Karlsbrücke verbunden, sie kommunizierten historisch und innerlich. Und in welcher Richtung sich Kafka zwischen Altstadt und Hradschin auch bewegte, ob hinauf oder hinunter, er befand sich überall ganz und gar inmitten einer abenteuerlichen, immerzu halbjenseitigen Atmosphäre, fühlbar in jedem Satz seiner eigenen Schriften, und zwar viel dichter und überzeugender als etwa in Gustav Meyrinks Prag-Romanen, der allerdings mit seinem ›Golem‹ seit 1915 das Prag-Bild der Nicht-Prager, aber auch das vieler Prager beeinflußte. Im gleichen Jahr war freilich auch der wesentlich tiefere, erzählerisch wie historisch weit wichtigere und Prag entschiedener kennzeichnende Roman ›Tycho Brahes Weg zu Gott‹ von Max Brod erschienen. Indessen: Meyrink regierte die Stunde.

Es ist wichtig, sich den realen und esoterischen Grund des Golem-Mythus und das Renaissancebestreben nach Macht über die Urstoffe und Schöpfung des künstlichen Menschen zum Bewußtsein zu bringen, um die geheimnisgesättigte Atmosphäre zu erspüren, aus der Kafka hervorwuchs. Es war, dies sei gleich gesagt, nicht die romantisierende Hokus-Pokus-Mystik der Meyrink-Romane. Meyrink, dessen Name Kafka etwas unschön an einen »zusammengezogenen Igel« erinnert, war selbst kein Prager, obschon er immer wieder eigensinnig als solcher bezeichnet wird. Er war in Wien geboren, sein Vater ein württembergischer Minister (so steht geschrieben) und sogar Baron, und Meyrink hieß er in Wirklichkeit auch nicht, weshalb man Kafkas Igel-Metapher als klassisches Beispiel exakter Phantasie betrachten könnte. In Prag war Meyrink nur einige Zeit zur Schule gegangen und hatte sich vorübergehend dort aufgehalten. Der bissige Walter Fürth nannte ihn einen »künstlichen Menschen«. Zugute zu schreiben ist ihm nicht sein ›Golem‹, sondern vielmehr seine glorreiche Entdeckung des »Schöpsoglobins«, dessen Vorhandensein im menschlichen Organismus die Entstehung eines übertriebenen Patriotismus, Nationalismus und Militarismus bewirkt, Erscheinungen, die die literarischen

Frequentanten des Café »Arco« jedenfalls zu allen Zeiten als allgemeine Daseinsgefahren erkannt haben. Was indessen Meyrink über das Prager Getto, dessen Bewohner, kabbalistische Rabbiner und den Golem selbst zusammenfabulierte, wurde zwar weithin gelesen, verfilmt und allerwegen dramatisiert, bildete aber doch nur eine unexakte Abwandlung der echten Golem-Sage bzw. -Überlieferung. Was in der Retorte »Prag« an nationalen und religiösen Essenzen durcheinandersprudelte und allenfalls homunculuserzeugend wirkte, erfordert ein tiefer zurückgreifendes Studium. Johannes Faust, obschon nicht in Prag geboren, hatte dort zumindest ein Absteigquartier, das noch heute gezeigt wird. Goethe mochte einiges hierüber wissen aus dem 26. Kapitel der Frankfurter ›Faust‹-Historia von 1587, die also zur Zeit des in Prag residierenden Alchymisten-Kaisers Rudolf II. erschien. Dort wird bei Beschreibung der dritten Zauberreise des Schwarzkünstlers auch Prag mit topographischer Gründlichkeit geschildert. »Diese Hauptstadt in Böhmen ist groß und in drei Teile geteilt, nämlich Alt-Prag, Neu-Prag und Klein-Prag. Dieses ist die linke Fluß-Seite mit der königlichen Hofhaltung und dem Veitsdom. Alt-Prag (die Altstadt) liegt auf der Ebene. Nach Klein-Prag (Kleinseite) gelangt man von dort über eine Brücke von 24 Schwibbögen. Die Neustadt wird von der Altstadt durch einen tiefen Graben abgesondert (als »Graben«, tschech. Příkopy, noch spätere Straßenbezeichnung), auch ringsum mit Mauern verwahrt. Es ist daselbst das Collegium der Hohen Schule.« (Gemeint ist die von Kaiser Karl IV. 1348 gegründete erste mitteleuropäische Universität.) Soviel aus der ›Faust‹-Historia. Prag erscheint dort nur als Reise-Station. Der Homunculus im zweiten Teil des ›Faust‹ wird zwar nicht von diesem, sondern von dessen Famulus Wagner kreiert, gehört aber in die Experimentierwelt der Alchymisten des 16. Jahrhunderts, die in Prag daheim waren. Paracelsus gab dann 1616 in ›De generatione rerum naturalium‹ ein praktisches Rezept für die Erzeugung von Homunculi. Die Erfahrungen der Prager Alchymisten lagen unmittelbar vorher (Rudolf II. starb 1612). Prag war also die Stadt eines menschenschöpferischen Mystizismus, dem sich im Gange der Zeiten weder die tschechischen noch die deutschen Prager Dichter entziehen konnten, um so weniger als zu den »wissenschaftlichen Alchymisten« als magische Entsprechung noch die jüdische Golem-Legende hinzutrat. Von den neueren tschechischen Schriftstellern wurde Karel Čapek durch sein Science-fiction-Drama ›R. U. R.‹ (›Rossums Universal Robots‹, deutsch von Otto Pick) weltbekannt, darin schon 1923 künstliche moderne Maschinenmenschen auftraten, »Roboter« genannt, eine Bezeichnung, die Schule machte und sich von dem tschechischen Wort »robota« – Frondienst – ableitet. Der Ahnherr dieser Roboter war der Golem des Prager Renaissancerabbis Liwa ben Bezalel, des ›Hohen Rabbi Loew‹. Ich stehe nicht an, diese dunkle Ahnenschaft auch für Kafkas Erzählung ›Die Verwandlung‹ in Anspruch zu nehmen, wie denn auch die unablässig experimentierende Suche nach dem Stein der Weisen in ihrer Beharrlichkeit und Vergeblichkeit eine Vorandeutung der Kafkaischen Sicherheitssuche darstellen mag. Wollte man einwenden, Goldsuche sei Machtsuche, so wäre zu bemerken, daß diese ja wiederum nur eine Überkompensation tiefster Angst und Unsicherheit sei. Wenn Alchymie die Zuflucht des innerhalb der verbrieften Religionen unbefriedigten, zweifelserfüllten Menschen ist: so war all dies der Kaiser Rudolf II.

Die legitime Goetheforschung wird sich daran verdrießen, wenn ich hier die Konjektur mache, die Magie des Golem möchte auch Goethe berührt haben, der zwar niemals in Prag, aber siebzehnmal in Böhmen war und der, als er 1797 seinen ›Zauberlehrling‹ schrieb, schon während dreier Karlsbader Sommer (1785, 1786 und 1795) von Prager Kurgästen eine Menge Lokalmerkwürdigkeiten eingesammelt haben mochte. Zwar steht hierüber nichts in den Büchern, aber seine böhmischen Vermerke aus diesen Jahren sind überhaupt sehr mager bzw. nicht existent und die These »quod non est in actis, non est in mundo« scheint mir höchst materialistisch bei Ergründung geistiger Prozesse. Goethe hat in späteren Jahren von den mit ihm befreundeten Prager jüdischen Bankiers Leopold und Simon von Lämmel persönlich in Karlsbad ausführliche Mitteilungen über die Prager Juden, ihre älteste Synagoge und ihren berühmten Friedhof entgegengenommen, auf dem der Hohe Rabbi Loew bestattet ist. Das steht sogar »in actis« und Goethe bemerkte hiezu, dieser Friedhof sollte gezeichnet und die Inschriften erhalten werden. Aber warum sollten ihm Prager Referenten gelegentlich seiner früheren Aufenthalte gerade den Golem unterschlagen haben, eines der dichterisch aufregendsten und interessantesten Motive? Scheint es nicht eher gezwungen, es als einen puren Zufall zu betrachten, daß der jüdische Roboter der Renaissance genau dieselben Arbeiten verrichtet und durchaus ähnliche Zicken aufführt wie Goethes Zauberbesen? Nun führt ja zwar die etablierte Germanistik den ›Zauberlehrling‹ geradenwegs auf Lukian zurück, in dessen ›Philopseudes‹ ein ägyptischer Priester sich mittels einer Zauberformel einen Besen zum unermüdlichen Diener macht. Das waren also alte Geschichten, aber hören wir doch einmal, von wem sie Goethen zur Kenntnis gebracht wurden. Von niemand anderem als seinem Hebräischlehrer Albrecht. Auch sollte man in Betracht ziehen, daß der Syrer Lukian nicht allzuweit vom jüdischen Hauptland lebte, wo es etliche sehr, sehr alte Überlieferungen über das Erzeugen künstlicher Menschen gab. Diese Quellen kommunizierten ihre Substanz über die Länder- und Völkergrenzen hinweg und sprudelten weiter durch das ganze Mittelalter bis in die Renaissance- und Barockperiode. Bei dem Araber Avicenna treten sie ebenso an den Tag wie bei Albertus Magnus, in Reuchlins ›Kabbala‹ ebenso wie in Schudts ›Jüdischen Merkwürdigkeiten‹ von 1714. Möglich also, daß der ägyptische Priester Lukians Gewährsmann in dessen ›Lügenfreund‹ war, möglich aber auch, daß der Ägypter seine Tricks von einem Kabbalisten gelernt hatte.

Die Juden sind schon seit romanischen Zeiten in Prag nachgewiesen. Übrigens stammt der früheste Reisebericht über Prag von einem Juden, Abraham ben Jakob, der in der zweiten Hälfte des 10. Jahrhunderts Böhmen und die Länder der Slawen bereiste und seine Wahrnehmungen im ›Buch der Straßen und Länder‹ (Kodex von Cordoba) niederlegte. Schon damals schilderte er Prag als einen überaus lebhaften Kreuzungspunkt der ost-westlichen und nord-südlichen Verbindungswege, als eine metropolitane Vielfalt. Die kraftvoll pulsierende Stadt erzeugte ihre Mythen (wie die von Libussa, der Gründerin) und die Mythen wiederum erzeugten die Stadt. Die Golem-Legende ist ein integranter Bestandteil dieser Prager Mythen-Substanz. Das hebräische Wort »Golem« heißt: lebloser, nicht geformter Stoff. Golem ist kein Rufname, sondern eine Sachbezeichnung. Egon Erwin Kisch behauptete einmal, den Dachboden der Altneusynagoge aufgesucht und dort die Reste des Golem entdeckt zu haben. Was aber Kisch, an dessen Reportervermessenheit nicht gezweifelt werden muß, dort möglicherweise vorfand, waren eben zerfallene, ausgedörrte Lehmtrümmer, also: Golem. Ob nun diese Lehmtrümmer tatsächlich die Restbestände des

Kunstmenschen des Hohen Rabbi Loew waren, dürfte schwer erweislich sein.

Die Legende selbst wurzelt in dem frühesten kabbalistischen Werk, der ›Yetzirah‹, von der bereits der Babylonische Talmud Zeugnis gibt. Dort wird (im Traktat ›Sanhedrin‹ von den Möglichkeiten der Belebung des ungeformten Stoffes, also des Golem, berichtet. Die Kabbalisten waren des Glaubens, es könne der Berufene nicht nur Golem beleben, sondern auch den Leichnam eines Menschen, wenn er auf der Stirn oder unter der Zunge den »Schem«, d. h. den Schriftstreifen mit dem göttlichen Namenssymbol, anbringe. Der Geist, d. h. das Leben, ist eben überall und unvergänglich, die Materie ist nur sein Substrat und der Berufene vermag sich unter gewissen Voraussetzungen allezeit mit dem Geist in Korrespondenz setzen und in der nur scheinbar toten Substanz das Leben wieder erwecken. Wer nun ist berufen, und welche sind die Voraussetzungen?

Golem-Mythen gingen schon im frühen Mittelalter von Prag aus, besonders aber im 16. Jahrhundert, als die Stadt zum Lehrsitz und zum Wirkungsraum des weisen Rabbi Liwa ben Bezalel wurde, dem man vor allem die Fähigkeit zuschrieb, Raum und Stoff und daher auch die Zeit zu meistern. Sein Leben und Wirken hat Friedrich Thieberger in einem bisher nur englisch erschienenen Werk dargestellt, dessen Hauptthesen ich in dieser Studie übernehme. Er hatte sich zeitlebens mit diesem Thema befaßt, ich habe ihn häufig darüber sprechen gehört, und es ist kein Zweifel, daß er in seinem nahen Umgang mit Kafka gerade den hochsignifikanten Golem-Mythus, der alle Prager tief berührte, ausführlich mit ihm erörterte. Mußte doch gerade diese Transigenz ins Übersinnliche, mit ihrem gleichzeitigen Realismus und ihrer Verwurzelung im Religiösen Kafka ganz ungewöhnlich fesseln. Das bekannteste und sichtbarste geschichtliche Zeugnis des Hohen Rabbi Loew ist sein schon erwähntes, mit vielen Inschriften bedecktes steinernes Grabmal auf dem Prager Judenfriedhof, wo er seit dem Jahre 1609 bestattet und von den Gräbern seiner dreiunddreißig Lieblingsschüler gleichsam wie von einer Leibgarde umgeben ist. Woher Liwa oder Loew nach Prag kam, ist nicht sicher. Man nimmt an, er sei in Posen geboren worden und sei in seinem hundertundvierten Jahre noch so rüstig gewesen, daß der Todesengel sich nicht direkt an ihn heranwagte und, um ihn zu erreichen, sich in den Duft einer Rose verbergen mußte. Seine magischen Kräfte wirkten aber auch noch nach seinem Tode weiter. Denn als man sechzig Jahre später seinen Enkel neben ihm bestatten wollte und rund um das Grab kein Raum mehr frei war, rückte der Rabbi über Nacht mitsamt seinem Monument um etliche Ellen weiter.

Die drei Hauptvoraussetzungen magischer Kräfte sind nach der Kabbala: erstens religiöse Makellosigkeit, und dies ist im Sinne des Judentums ein lediglich vermöge ungeheuerer Gnade Gottes erfüllbares Erfordernis, dem eben nur ein Auserwählter nachkommen kann, der zugleich sein ganzes Leben im Geiste der Religion ausrichtet; zweitens eine vollkommene geistige Bildung, die zu erwerben zwar in der Macht des Menschen steht, doch aber nur eines umfassenden Geistes, der allen Erscheinungen und Wissensgütern gegenüber die seltene Fähigkeit des wertenden Distinguendum übt; drittens aber – und nicht zuletzt, weil Hauptbasis des Vorangegangenen – die tiefste Kenntnis des Gottesworts, d. h. der Thora und des Talmud. Solche Kenntnis aber bedeutet einen so intensiven und ungebrochenen Aufwand an seelischer Versenkung, daß sie das gesamte übrige Leben in sich aufgehen läßt und das Dasein eines Adepten in ewiges Lernen verwandelt. Der erste Schritt bloß, und freilich der wichtigste, ist die Kenntnis des Hebräischen. Und diesen ersten Schritt versuchte Kafka, indem er bei Thieberger anfing, Hebräisch-Stunden zu nehmen. Die Überlieferung versichert nun, daß alle drei großen Erfordernisse, die nach der Kabbala für die Entfaltung übersinnlicher Kräfte nötig sind, in dem hohen Rabbi Liwa ben Bezalel herrlich vereinigt waren. Seine religiöse Makellosigkeit müssen wir als gegeben voraussetzen; seine geistige Bildung und seine Kenntnis der Lehren wird durch die große Zahl der von ihm hinterlassenen bedeutenden jüdischen Schriften bezeugt. Sie sind freilich äußerst schwierig zu verstehen und wären für jeden Nichtjuden schon an und für sich geheimnisvoll. Manche von ihnen tragen höchst einprägsame und vielsagende dichterische Titel wie ›Der Tanz der Gerechten‹, ›Das harte Herz Pharaos‹, ›Die Tränen Gottes‹. Selbstverständlich war Rabbi Loew als Haupt der Gemeinde auch deren höchster Richter, gegen dessen Erkenntnis es keine Appellation geben konnte. Aber seine Urteilssprüche galten als wahrhaft salomonisch und durch die höchste Sittlichkeit der Schriften und weiseste Menschlichkeit motiviert. Er war ein erstaunlicher Psychologe, der die Sünde als »Unordnung der Seele« und nicht als primitive Folge spontanen Böseseins bewertete; er war ein tiefschürfender Theologe, der in »Jakobs Kampf mit dem Engel den Kampf des Unkörperlichen in Jakob mit einem unkörperlichen Gottesboten« erkannte; und er war – mitten im 16. Jahrhundert – ein überraschender philosophisch-theoretischer Physiker, der verkündete: »Zeit ist nur eine Form des Stoffes und besteht aus Bewegung.« Das war allerhand.

Daß nun der Kaiser droben am Hradschin, dieser grüblerische und versonnene Wahrheitssucher, Sammler, Kunstfreund und Experimentator von dem berühmten Zadik in der Tiefe der Stadt Kenntnis nahm und ihn kennenlernen wollte, war wohl selbstverständlich. Es bestehen zeitgenössische Berichte über die Zusammenkünfte der beiden und darüber, daß sich der Monarch durch den Rabbi unterweisen ließ. Daß sich nun rund um derartige Begegnungen ein Legendenkranz bildete, versteht sich von selbst. So soll der Rabbi einmal mitten im Winter den kaiserlichen Garten zum Blühen gebracht haben. Ein andermal habe er über Wunsch Rudolfs die jüdischen Patriarchen herbeibeschworen (wir denken an ähnliche Beschwörungen in ›Faust‹). Als der Kaiser den Rabbi einmal in dessen bescheidener Wohnstatt besuchte, verwandelte sie der Hausherr plötzlich in ein weites Prunkgemach. Wie sich dies auch verhalten haben mag: die Tatsache der Beziehung und ihrer ungeheueren Ungewöhnlichkeit bleibt bestehen. Es gab den Kaiser, es gab den Rabbi, ihre Charaktere stehen festumrissen in der Geschichte, und wir wissen Bescheid über Liwa ben Bezalel durch seine Schriften und sein Wirken wie sonst irgend über einen der Männer des Zeitalters. »Es gibt überhaupt nur Wunder«, sagte Kafka einmal. Die Geisterwelt ist nicht verschlossen. Die magische Kraft ist immer eine Kraft des Verwandelns. Der verschneite Garten blüht auf. Die Gelehrtenzelle wird zum Prunksaal. Die Zeit, der Raum werden überwunden, und die Patriarchen erscheinen, wie Helena erscheint. Magie ist zur abstrakten Spitze gesteigerter Realismus. Die Tiere sprechen. Toter Stoff belebt sich. Der Mensch wird zum Insekt. Es ist im Grunde nichts Neues, sondern uralte Märchen- und Parabel-Wirklichkeit und Weisheit. Wer sollte sie besitzen, wenn nicht der Rabbi? Wem sollte er sie vermitteln, wenn nicht dem Kaiser? Und Franz Kafka, wenn man es recht bedenkt, sollte eigentlich nicht auf dem modernen Friedhof in Strasnice über Prag bestattet sein, sondern auf dem alten bei den Lieblingsschülern des hohen Rabbi Liwa ben Bezalel. Hätte man versucht, ihn dort zu beerdigen, so wäre der große Lehrer sicherlich zur Seite gerückt, um ihm Platz zu machen.

Den Bericht über den Golem besitzen wir authentisch von der Hand des Schwiegersohns des Rabbi, Yitzchak Bin Simson Cohen, der bei der Formung und Belebung des Kunstmenschen persönlich assistierte. Es heißt darin: »Wir bekleideten ihn mit allem, wessen ein Synagogendiener bedurfte. Immer saß er dann in einer Ecke des Hofes, das Haupt auf die Hände gestützt. Die Leute in den Gassen hielten ihn für einen armen stummen Menschen, den der Hohe Rabbi aus Mitleid bei sich aufgenommen habe.« Ein armer stummer Mensch in einer Hofecke, das Haupt auf die Hände gestützt. Breitegasse No. 911. Der belebte Erdenkloß sah, hörte und verstand alles, nur sprechen konnte er nicht. Er hatte einen Körper und einen wirklichen Kopf, also auch eine Stirn, um mit der Hand an sie zu schlagen. Schweigendes Symbol preisgegebener Wehrlosigkeit. Er hackte Holz, fegte die Böden, wallte manche Strecke, um Wasser heranzuschleppen. Doch aber war er nicht bloß belebter Stoff, denn er konnte sogar als vorgeschriebene zehnte männliche Person zu einer Gebetsgemeinde herangezogen werden, obschon wohl nur in stummer Rolle, ein »stummer Diener«, aber eben viel, viel mehr als bloß ein mechanisierter Besen. Seine Aufgaben reichen beträchtlich weiter, denn seine Hauptpflicht bestand darin, Gewaltakte gegen Juden hintanzuhalten. Sein bloßes Erscheinen mochte wohl bereits eine ernüchternde Wirkung auf Pogromisten haben, an denen Prag zu keiner Zeit Mangel litt, mochte es der Hauptsache nach katholisch, hussitisch oder protestantisch gesinnt sein. »Mažte židi!«, – Drescht die Juden! – ist nicht etwa eine Übersetzung aus dem Deutschen, sondern der Schreiber dieses hat solchen Kampfruf in den Prager Straßen zur Zeit seiner Kindheit und Jugend, also noch gute dreihundert Jahre nach Kaiser Rudolf II., oft genug vernehmen müssen.

Wie es sich gehörte, mußte der Golem am heiligen Sabbat ruhen. Da entledigte ihn der Rabbi seiner übermenschlichen Kräfte, indem er den »Schema«, die magische Formel, die er sonst unter der Zunge trug, entfernte. Schem oder genauer »Schem ha-meforasch« heißt eigentlich nur »der Name«, ist die Bezeichnung für den unausgesprochenen und unaussprechlichen Namen Gottes, dessen grammatisches Lautbild das von Philo von Alexandria geprägte Tetragramm (Vierzeichen) JHWH ist, Jahwe also. Der Golem nahm zusammen mit der jüdischen Gemeinde an der wichtigsten Feier der Juden teil, an der Heiligung des Sabbat. Auch wenn an einem solchen Tage Gewalttätigkeiten gegen Juden vorfielen, konnte er ihnen nicht beistehen. Aber jede Legende bedarf, um sich vollkommen zu bestätigen, der menschlichen Schwäche als Würze, ja als Bewegungsmittel. Und so heißt es, daß der hochweise Rabbi einmal an einem Sabbat vergaß, den Golem des Schems zu entledigen. Da begann dieser tobend alles wild durcheinanderzuwerfen, wohl nicht nur weil ihm das Recht auf die Feier benommen schien, die alles jüdische umfaßt, sondern aus Groll, weil sein Meister sich einen Augenblick lang nicht meisterlich erwiesen hatte. Das Volk rannte zur Altneusynagoge, wo der Rabbi eben dabei war, den Sabbatpsalm zu singen. Entsetzt über den Auflauf und das Geschehene unterbrach der Hohe Rabbi die Zeremonie und eilte nach Hause, wo er den Golem durch Entzug des Schem zur Ruhe brachte. Dann kehrte er in die Synagoge zurück und nahm die Feier wieder auf. Seit jenem Sabbat wurde dieser Psalm in der Prager Altneusynagoge immer zweimal gesungen.

Das Ende des Golem wird mit einem politischen Akt Rudolfs II. in Verbindung gebracht, der durch ein besonderes Edikt Gewaltsamkeiten gegen Juden untersagte. Der Hohe Rabbi, der sicherlich einer der Urheber der kaiserlichen Milde gewesen war, beschloß daraufhin, seinen kunstgeschaffenen Helfer wieder in leblosen Stoff, in bloßen Golem rückzuverwandeln. Dies geschah nicht bloß durch Entzug des Schem, sondern in einer Zeremonie, bei der – wie bei der Erstbeseelung – der Schwiegersohn des Rabbi wiederum assistierte. Danach betteten die beiden den entseelten Stoff auf dem Dachboden der Altneusynagoge. Dort lagen die Reste unbeachtet zwei Jahrhunderte lang. Erst gegen Ende des 18. wagte der sehr konservative Prager Rabbi Ezechiel ben Juda Landau (1713-93), sich dem mythischen Golem wieder zu nähern, nachdem er vorher gefastet und sein Sterbekleid angelegt hatte. Doch er bewahrte Schweigen über das, was er gesehen hatte, und erließ ein feierliches Verbot für jedermann, inskünftig den Dachraum der Synagoge zu betreten.

Egon Erwin Kisch, der zeitlebens Verbote zu brechen liebte, hatte sich als ungenierter Reporter auch um dieses nicht gekümmert. Einer der »Arco«-nauten, der seine inquisitive Neugier stets zur Geltung brachte, fragte ihn über die Kaffeetasse hinweg: »Haben Sie auch vorher gefastet und für das Interview mit dem Golem Ihren Sterbekittel angelegt?« Der Befragte schwieg verblüfft und mochte vielleicht zum erstenmal im Leben verlegen geworden sein. »Dann können Sie auch den Golem nicht gesehen haben«, bemerkte der Fragesteller trocken. Und dies war kein bloßer Sarkasmus. Es lag die profunde Wahrheit darin, man könne nur im Zustand der Heiligung wahrnehmen und erkennen. So auch sprach Kafka vom »Schreiben als Form des Gebets«.

VIII Denkmale

Wollte man Rudolf Fuchs (geb. 1890 in dem mittelböhmischen Städtchen Poděbrad, gestorben als Opfer des Londoner Blackouts 1942) bloß zu den peripheren Prager Bekanntschaften Kafkas rechnen, so würde man der Bedeutung dieser Beziehung keinesfalls gerecht werden. Dichterisch war er für Kafka sicherlich interessanter als etwa der aus Prag stammende Dramatiker des Expressionismus Paul Kornfeld oder der in Brünn geborene Romancier und Essayist Ernst Weiss, beide zu ihrer Zeit weitbekannte und hochgeschätzte Autoren, beide – ebenso wie Fuchs – meine nahen Freunde. (Kornfeld ging in dem Nazikonzentrationslager von Lodz zugrunde; Weiss, der im persönlichen Leben Kafkas eine besondere Rolle gespielt hatte, endete durch Selbstmord in Paris, dessen Besetzung durch Hitlers Horden er für das Ende Europas hielt.)

Fuchs nun war als literarische Erscheinung besonders auch wegen des sozialen Aspekts seiner Veröffentlichungen bemerkenswert. Er war ein Fall von vollendeter Zweisprachigkeit und hätte ebensogut als tschechischer wie als deutscher Autor gelten können, verlegte aber sein schöpferisches Schwergewicht auf die deutsche Seite seines Wesens. Seine Art von Zweisprachigkeit war eine Seltenheit, denn er hatte, schon als er sprechen lernte, die Worte und ihre Sachbedeutungen, die Begriffe und ihren Sinn zugleich in beiden Sprachen aufgenommen und nicht etwa eine schon vorhandene sprachliche Basis mit einer zweiten Sprache aufgestockt. Es gab in Prag einige literarische Erscheinungen dieser Art, z. B. Otto Pick oder Paul Eisner, die beide – ebenso wie Fuchs – zu übersetzerischen Vermittlerrollen gleichsam von Natur prädestiniert schienen und ihre Vorhaben auf diesem Gebiet auch vorbildlich erfüllten.

Fuchs jedoch hatte von allen die feinste dichterische Begabung, er zeichnete sich durch eine subtile Festigkeit aus, durch eine sichere Feinfühligkeit, die bereits an seinem ersten kleinen Gedichtbuch erkennbar war, das 1913 zu Heidelberg, in dem Verlag der von Hermann Meister geleiteten Zeitschrift ›Saturn‹ unter dem Titel ›Der Meteor‹ erschien. Um dieses Titels willen liebte es Werfel, Fuchs jeweils als »kosmischen Dichter« zu bezeichnen. Er erwies sich jedoch nicht so sehr »kosmisch«, als vielmehr irdisch und menschheitsbewußt. Dem ›Meteor‹ folgte 1918 ein zweiter, durchaus am Boden haftender Gedichtband ›Karawane‹. Die dritte Sammlung war sein Schwanengesang. Sie erschien 1941 kurz vor seinem Ende in England »dank der Gunst eines Freundes« in 140 Exemplaren und war nach dem Zufluchtsort seines Exils ›Gedichte aus Reigate‹ benannt.

Wirkliche Bedeutung, ja Berühmtheit aber erlangte Fuchs durch seine bewundernswerten Übertragungen der erschütternden und gleichsam aus Stein gehauenen Lyrik des tschechisch-schlesischen Bergmannsdichters Petr Bezruč (mit seinem bürgerlichen Namen Vladimír Vašek), die unter dem Titel ›Schlesische Lieder‹ und ›Lieder eines schlesischen Bergmanns‹ den glühenden Zorn und das rebellische Aufbegehren einer national und sozial bedrängten Volksgruppe in ihrer geliebten und mißbrauchten Heimat drohend verkündeten. Hier lag das Movens, das Kafka tief berühren mußte, der ja bereits beruflich mit Schicksal und Not der Arbeiterschaft befaßt und seelisch davon beunruhigt, ja gequält war. Bezruč erschien uns allen nicht als eine dichterische Person, sondern als ein soziales Phänomen, ähnlich wie uns Walt Whitman nicht als ein bestimmter Lyriker galt, sondern als der allgemeine große Ruf des demokratischen Amerika oder die ›Weber‹ Hauptmanns nicht als ein Stück eines Dramatikers, sondern als der verzweifelte Notschrei einer anonymen Schar entrechteter und gequälter Menschen. So auch hatte Franz Werfel in seinem Vorwort zu der bei Kurt Wolff in Leipzig 1916 erschienenen ersten Ausgabe der Fuchsischen Übertragung der ›Schlesischen Lieder‹ den Dichter Petr Bezruč nicht als Person, sondern als mythische Ballung des Zorns der freien Rede gekennzeichnet. »Petr Bezruč gibt es nicht. Er ist das Instrument vertriebener Mächte, der Auserwählte grollender, längst geschlagener, uralter Götter, die sich noch einmal im Sturm zusammenballen und zu Häupten der vergehenden Sippen im letzten Weh zu heulen anhuben.« Gewiß, nur als der überpersönliche Aufschrei einer gemarterten Menschenschar konnte Bezruč begriffen werden. Fuchs nannte ihn, dessen Anonymität erst sehr spät gelüftet wurde, »einen Dichter wider Willen«, es schrie aus den Halden und Schächten des Ostrauer und Teschener Kohlenreviers und aus den Wäldern der Beskiden, brüllte gegen die Grubenaktionäre wie gegen den »Marquis Gero«, der – wie jedermann wußte – der gehaßte Erzherzog Friedrich war, Herr der Gelände und Oberstkommandierender der Kaiserlichen Wehrmacht. Die Dämonie Bezručs erschien Fuchs vehementer noch als die des François Villon, die sich ja auch gegen die Geld- und Machthaber des Zeitalters richtete. Das Land, dem der Dichter der ›Schlesischen Lieder‹ entstammte, war übrigens auch die Heimat des großen Komponisten Leoš Janáček, dessen Kenntnis der Welthörerschaft durch Max Brod vermittelt wurde.

»Ich Petr Bezruč, ich von Teschen Bezruč …«, wahrhaftig, es klang wie »Ich, Walt Whitman, von Manhattan der Sohn …«, aber es klang nicht beglückt wie die Gesänge des Amerikaners, es klang verzweifelt, ohne Hoffnung, wutentbrannt über Bergmannsnot und Verstümmelung, über Germanisierung und Polonisierung der Tschechen jener Gebiete und über geldmacherische Ausbeutung durch die deutschsprechenden Christen wie Juden. Die antisemitischen Regungen, denen der Leser in den ›Schlesischen Liedern‹ allenfalls begegnet, sind nicht als solche zu verstehen, sondern als ein alles ohne Unterschied hinwegfegender grimmer Sozialprotest. Es war ja bezeichnend, daß Bezruč von dem Juden Fuchs ins Deutsche übersetzt und einer breiteren Öffentlichkeit bekanntgemacht wurde und daß der Jude Werfel diese Übersetzung begeistert einleitete. Ich, der mit Bezruč in Briefwechsel stand (den er übrigens von sich aus in deutscher Sprache führte, was ich als ungewöhnliche Auszeichnung betrachtete, da er dies sonst niemals tat), hatte nie das Gefühl, einer dichterisch oder literarisch umschreibbaren Persönlichkeit gegenüberzustehen, sondern eher einem erratischen Block. Dabei war diese Korrespondenz von Bezručs Liebe zu Hölderlin ausgegangen.

Als nun Rudolf Fuchs seine deutsche Übertragung der ›Schlesischen Lieder‹ mitten im Weltkrieg herausgab (das tschechische Original war 1903 erschienen), wirkte sie buchstäblich wie ein »schlagendes Wetter«, bot sich als eine demonstrative Parteinahme, ein die machthabenden Gewalten anklagendes Engagement. Fuchs mochte seinem Wesen nach feinfühlig und sublim sein, im persönlichen Verkehr still und besonnen, aber er war – wie man sehen konnte – kein Leisetreter.

Es ist hier nicht notwendig, Kafkas eigene schon oft erörterte soziale Einstellung nochmals darzulegen, um zu begründen, warum ihm Fuchs nicht nur als Dichter in seinen eigenen Rechten, sondern gerade auch als deutschsprachiger Herold von Bezruč aus dem Herzen sprach.

Max Brod hat im Anhang seiner Kafka-Biographie eine Aufzeichnung von Fuchs über seine Verbindung mit Kafka veröffentlicht, die im Jahre 1912 in dem berühmt gewordenen Prager Café »Arco« begann und mit Kafkas Bestattung endet. Von Kafkas zugeschüttetem Grabe gingen Fuchs und ich in schweigender Ergriffenheit davon. Was war noch zu sagen? Wir wußten, daß wir nun verwaist waren. Erst Stunden später, in Fuchsens engem Heim, fanden wir wieder irgendwelche Worte, aber nicht über unsere Trauer, sondern über die einfachen Dinge ringsumher, eine Vase, einen Krug, einen Schrank, denn über die Gegenstände ließ sich noch am sichersten sprechen, da diese große schöpferische Konstante dahin war. Denn dies – wenn er sich auch selbst nicht so empfunden hatte – war uns Kafka gewesen, trotz aller Aphoristik und allem Fragmentarischen in seinem Leben und Werk. Uns beiden war für später noch manche Betrübnis vorbehalten. Aber ich glaube, keine Trauer war so unbedingt und so schwer.

Ich hatte bei Fuchs immer das Gefühl von Platin, von etwas Kühlem aber Höchstkarätigem. Da er aus einem völlig tschechischen Städtchen stammte, war sein Deutsch immer mit einem etwas fühlbareren tschechischen Akzent getönt, als dies etwa bei den Deutsch-Pragern der Fall war, die ja innerhalb einer beträchtlichen deutschsprachigen Gemeinschaft lebten. Kafkas Sprechklang war übrigens dem Fuchsens ähnlicher als dem Deutsch seiner anderen literarischen Prager Freunde. Dies mochte familienbedingt sein, denn Kafkas Eltern hatten noch den unüberhörbaren Ton der tschechischen Provinz beibehalten, der sie entstammten. Das Erscheinen der ›Schlesischen Lieder‹ in deutscher Sprache im Jahre 1916 war ein machtvoller Akzent, den Fuchs unser aller Grundhaltung erteilte, die vom ersten Augenblick des Krieges eine Protesthaltung gewesen war gegen Gewalt und gegen Militarismus, gegen jede Art von nationalem Chauvinismus und Verfolgung von sprachlichen oder konfessionellen Gruppen. Keiner der Prager deutschen Autoren unseres Kreises hat es jemals nötig gehabt, seine politischen Auffassungen zu revidieren, wie dies bei so manchen führenden deutschen Autoren sonst der Fall war, deren Gewissen sich erst erhob, als der Krieg für seine Anstifter, Wortemacher und enthusiastischen Anhänger verloren war und als die begeisterten Mitarbeiter der Kriegsalmanache und Bewunderer der Neutralitätsbrüche nun wieder mit der neuen Realität der Niederlage zu rechnen hatten. Das sei nicht anklagend vermerkt, sondern bedauernd, weil es uns sehr deutlich von anderen Dichtern deutscher Sprache trennte, die wir hochzuschätzen gewohnt waren, ebenso wie wir später etwa den von uns so sehr verehrten Knut Hamsun als Person aus unseren Herzen verdrängen mußten, wobei die bleibende Bewunderung für seine Schriften den Kummer nur noch vertiefte. Es ist ja nicht bloß so, daß wir immer sehnlich wünschen, es möchten die Dichter, die wir bewundern, auch unserer moralischen Gesinnung sein, sondern daß wir darunter leiden, selbst vielleicht mit unserem Besten und Wichtigsten desavouiert zu erscheinen und ins Unrecht zu geraten und nun von neuem und sogar noch gegen unsere eigenen Idole es uns erkämpfen zu müssen. So habe ich selbst noch bei der Prager Trauerfeier für Kafka (1924) in meinen Gedenkworten ihm Knut Hamsun zugesellt und ihn (der selbst Hamsun überaus bewunderte) in einer Gemeinschaft gezeigt, die durch das Verhalten des großen norwegischen Schriftstellers später so betrüblich beschattet wurde.

Fuchs hatte nun aber nicht bloß Bezruč übersetzt. Die Tschechen haben seiner Vermittlerrolle auch noch für manch andere Ausstrahlung ihrer Dichtung zu danken und die Deutschen wiederum für Begegnungen, die ihnen ohne Fuchs nicht zuteil geworden wären. Für die Ende 1916 im Verlage der Berliner Zeitschrift ›Die Aktion‹ (Herausgeber Franz Pfemfert) erschienene Sammlung ›Jüngste tschechische Lyrik‹ lieferte Fuchs (gemeinsam mit Paul Eisner, Jan Loewenbach, Otto Pick u. a.) eine ganze Reihe von Übertragungen moderner tschechischer Autoren. Auch das war selbstverständlich mitten im Kriege eine vermessene Demonstration. Galten doch die Tschechen im nationalistischen deutschen Pauschal-Urteil als Verräter an der Österreichisch-Ungarischen Monarchie und seit Hebbel als »Bedientenvolk«, dessen »Kultur« nicht der Rede wert war, Leute eben, die (nach des Stifterschmähers Hebbel frechem Vers) nichts anderes vermögen als »ihr struppiges Karyatidenhaupt zu schütteln«. Die ›Aktion‹ war damals der Sammelplatz der Expressionisten und der oppositionellen »angry young men«. Sie brachte damals auch meine ersten Gedichte. Späterhin veröffentlichte Fuchs ein umfangreiches Übersetzungswerk, den ›Erntekranz aus hundert Jahren tschechischer Dichtung‹, den allerdings Kafka nicht mehr erlebte.

Als der Jüngling Rudolf Fuchs aus dem Städtchen Poděbrad nach Prag kam, um daselbst die deutsche Realschule zu beenden, wohnte er zunächst bei der Familie Thieberger und schloß Freundschaft mit den beiden Haustöchtern, der älteren Nelly und der jüngeren Trude. Im Jahre 1939 begegneten wir ihm und seiner wunderbaren Frau Loni im Exil in London. Sie teilten das tragische Dasein, das so vielen Flüchtlingen beschieden war, weniger von Brot als von der verbissenen Überzeugung genährt, daß die finsteren Mächte der Gewalt am Ende doch scheitern würden. Von den drei mir befreundeten Prager bzw. böhmischen Autoren, von denen ich in London Abschied nahm, als es mir 1941 glückte, auf dramatische Weise die Vereinigten Staaten zu erreichen, Rudolf Fuchs, Ludwig Winder und Ernst Sommer, hat keiner seine Heimat wiedergesehen. Sie alle schrieben mir noch regelmäßig nach New York, aber sie alle starben im Exil. Winder und Sommer erlebten wenigstens noch das Ende – oder sollen wir sagen: den vorläufigen Abschluß? – der kriegerischen Feindseligkeiten, Fuchs wurde das Opfer eines Unfalls während der Verfinsterung und des Bombardements von London. Loni überlebte ihn nur um wenige Monate. Ihr, aber nicht ihr allein, galten seine letzten Verse.

»Mach kein trauriges Gesicht –
Auf den Feldern dieses schlechten Krieges
grünen schon die Reiser unseres Sieges.
Ruhig brennt das Licht.

Gute Nacht, und bange nicht!
Eine große Macht geht nicht mehr schlafen,
wacht in jeder Stadt, in jedem Hafen.
Ohne sie ist kein Gedicht.

Ohne sie kein Tag mehr, keine Nacht.
Tiefer schweigt die Brust, 's ist Feierabend.
Du auch bist ein Teil der großen Macht,
die in jedem Dorf, in jedem Hafen wacht.«

Über Ernst Feigl wird man vergeblich Aufschluß in Nachschlagewerken der Literatur suchen. Sein Name taucht mehrere Male in Kafkas Briefen auf. Er mochte um ein oder zwei Jahre älter gewesen sein als ich, hielt in Prag den verschiedenfarbigen Schrecknissen des Zeitalters stand und starb dort im Jahre 1964. Wir trafen einander ziemlich regelmäßig und ich war auch – vor seiner Verehelichung – zuweilen in seiner Wohnung zu Besuch, oder vielmehr in der seiner Eltern, bei denen er zusammen mit seinen betriebsamen Schwestern wohnte, einer fast ärmlichen Hofwohnung in einem alten Haus der Prager Neustadt, die zwar »Neustadt« hieß, aber schon in gotischen Zeiten gegründet worden war. Das Haus hatte die pawlatschenhafte Muffigkeit, die auch dem Hause Brands auf der Kleinseite unter dem Burghügel eigen war, es roch nach Zichorie, Schmierseife, schwangeren Katzen, Untergängen, morschem Gebälk und geheimnisvollen Kofferinhalten auf unübersichtlichen Dachböden. Ich weiß nichts über den Beruf von Feigls Vater, aber einträglich konnte er nicht gewesen sein. Die Söhne, Friedrich, Hugo und Ernst, waren alle von entschiedener künstlerischer Begabung. Friedrich, der älteste, sehr bald schon ein Maler von außerordentlichem Rang, ein meisterlicher Graphiker und Schwarz-Weiß-Künstler, der gleich hohes Ansehen bei Deutschen und Tschechen und später in Berlin und London genoß, wo er 1966 starb. Er zeichnete Kafka, während dieser vorlas, ein kraftvolles Porträt, das in dem 1966 erschienenen, von Klaus Wagenbach herausgegebenen ›Kafka-Katalog‹ der Berliner Akademie der Künste wiedergegeben ist. Diese Zeichnung nach dem Leben weist eine ebenso starke Ähnlichkeit auf wie seltsamerweise die imaginären, aber aus ungewöhnlicher Einfühlung hervorgegangenen Kafka-Bildnisse von Hans Fronius. Kafka erwähnt den Maler Fritz Feigl 1916 in einem Brief an Kurt Wolff als Dostojewskij-Illustrator für den Verlag Georg Müller. Der zweite Bruder, Hugo Feigl, nützte seinen Doktorgrad beruflich nicht aus, sondern aus Liebe zur Kunst gründete er einen Kunst- und Ausstellungssalon in Prag, in dem ich nie ein mittelmäßiges Gemälde oder eine unbedeutende Skulptur gesehen habe, sondern ausschließlich zeitgenössische Werke von bester Qualität und internationaler Geltung. Im Exil in New York hatte er die Kraft und Beharrlichkeit, sogleich wieder einen neuen Salon zu gründen und es abermals auf dem gleichen Gebiete zu Ansehen zu bringen, das ihm dort durch die beiden letzten Jahrzehnte seines Lebens entgegengebracht wurde. Der dritte der Brüder, eben Ernst, von dem hier die Rede sein soll, transigierte in die Sphäre der Dichtung. »Transigieren« ist vielleicht der richtige Ausdruck, denn er kam und ging und kam wieder. Er war ein geborener dramatischer Fragmentarist und arbeitete zeitlebens an einem ›Don Juan‹ betitelten Theaterstück, das so breit konzipiert war, daß es kein Ende absehen ließ, was ja nicht unbedingt gegen eine Dichtung sprechen muß, ja vielleicht überhaupt nicht, zumal wir ja von Goethe wissen (›Italienische Reise‹, Caserta, 16. März 1787), daß große Kunstwerke nie fertig, sondern nur »für fertig erklärt« werden. Wie »groß« nun Feigls ›Don Juan‹ als Kunstwerk war, ist rückblickend schwer zu sagen. Der Autor rezitierte uns daraus immer und immer wieder neue Szenen vor, im Café »Arco«, wo zwischen Getreidehändlern, vulgivagen Mädchen und Schiebern überhaupt gerne rezitiert wurde. Auch Werfel tat dies. Es ist sehr wahrscheinlich, daß Kafka dort einer der ›Don Juan‹-Vorlesungen nicht entgangen ist. Archäologen des Prager Expressionismus können übrigens etliche Szenen dieses Dramas aus dem 1919 von Oskar Wiener herausgegebenen Sammelband ›Deutsche Dichter aus Prag‹ hervorgraben, einer Anthologie, die der Maler Friedrich Feigl mit Illustrationen versehen hatte. Franz Werfel ist darin in jugendlicher, Hugo Salus in bejahrterer Langhaarigkeit porträtiert, der nicht-Prager Prager Gustav Meyrink mit den durchdringenden Späheraugen des Spuck-Registrators, Paul Leppin mit steil aufwärts gerichtetem Lyrikergehaben, Friedrich Adler in der Behäbigkeit der »liberalen« Bürgerära und Kafkas guter Freund (und der meine) Oskar Baum, der Früh-Geblendete, mit seinem endlos weit reichenden Teiresiasblick. Auch Max Brod, Rudolf Fuchs, Paul Kornfeld und Ludwig Winder sind in diesem Band vertreten. Ich steuerte außer eigenen Gedichten auch mehrere des toten Karl Brand bei.

Ernst Feigl konnte selbstverständlich nicht von seinen Gedichten und vom Schreiben eines endlosen Dramas leben, und so fand er sich denn schließlich auch einen Beruf, und zwar den eines Gerichtssaal-Berichterstatters für das ›Prager Tagblatt‹, ein Beruf, der ihm überaus zusagte, weil er ihn immerzu mit vielen und verschiedenen Menschenschicksalen in Berührung brachte und auch mit den Schicksalen von Recht und Unrecht, der Schrecklichkeit und Lächerlichkeit, der Feigheit und Unverschämtheit. Aber auch den Tugenden der Menschen konnte man da täglich begegnen. Seine Berichterstatterpflichten erfüllte Feigl in einer humanen, auf Herz und Mitfühlen der Leser abzielenden Art, wo es anging mit jenem Humor, der menschliche Unzulänglichkeit tröstlich beglänzt. Aber der Dämon Feigls, der ihn zeitlebens verfolgte, war sein ›Don Juan‹, eine Kreuzung zwischen Lorenzo da Ponte und Frank Wedekind.

In einem Prager Frauen- und Mädchen-Klub hörte ich ihn einmal daraus vorlesen.

»Ich sah dich schon vom Weiten strahlen.
  Näher Weib!
Du spanntest Gier vor deinen Leib.
Du sollst mich betten Weib,
Und deine Hütte ist ein Fürstenschloß
und Fürstin ist dein Leib.«

Nein, so etwas! Und noch dazu bereits in Masaryks Republik, die doch den Adel aufgehoben hatte. Die derart gefürsteten Zuhörerinnen beschlossen, statt des Honorars im Heiligen Land einen Ölbaum zu pflanzen. Feigl bedankte sich und bemerkte: »Aber für mich selbst könnten Sie auch noch ein paar Dosen Ölsardinen hinzufügen.«

Das ›Prager Tagblatt‹, für das er späterhin seine Gerichtssaal-Notizen unter der Chiffre »ei« schrieb (»täglich lege ich mein ei«), war eine fluoreszierende Institution mit dem besten Nachrichtendienst in Prag und einem ausgezeichneten Redaktions- und Mitarbeiterstab, dem nicht nur versatile Journalisten, sondern zeitweilig auch namhafte Schriftsteller, ja sogar Dichter (Berthold Viertel, Max Brod, Rudolf Fuchs) angehörten. Der Herausgeber des Blattes, Dr. Rudolf Keller, war ein bedeutender Gelehrter und Biochemiker von Weltruf. Wenn wir von Kafka sprechen, muß auch ein Wort über diese Zeitung verloren werden. Nicht nur kannte er persönlich die meisten Redakteure, er las das Blatt auch täglich und bezog daraus seine aktuellen Informationen, die nicht zum geringsten auf die Realität seines Weltbilds und seiner Niederschriften einwirken mochten. »Fluoreszierend« nannte ich das ›Prager Tagblatt‹, weil es weder für die Deutschen war noch gegen sie, weder für die Tschechen noch gegen sie, weder für die Christen noch gegen sie, weder für die Juden noch gegen sie, weder für die Sozialisten noch gegen sie; es war, mit einem Wort, eine »liberale« Zeitung unter der schlichten Devise: »Mir ist ein jeder recht«, außer er wäre gegen die Freiheit der Meinungsäußerung und für die Zensur, von welcher Seite sie auch geübt werden möge. Der Leserkreis des ›Prager Tagblatt‹ war überwiegend deutsch-jüdisch, die Zeitung – die größte Böhmens – erreichte aber auch eine erhebliche Anzahl deutsch lesender

Tschechen, während das zweite deutschliberale Prager Konkurrenzblatt, ›Bohemia‹, eine wesentlich ältere Gründung, fast ausschließlich auf deutsche Leser beschränkt war und auch einen obschon nicht deutschnationalistischen, so doch entschieden »nationaleren« und etwas weniger tschechenfreundlichen Ton anzuschlagen liebte. Bezeichnend bleibt immerhin, daß die ersten in Prag veröffentlichten Arbeiten Kafkas (›Die Aeroplane in Brescia‹, ›Der Fahrgast‹, ›Zum Nachdenken für Herrenreiter‹ u. a.) in den Jahren 1909 und 1910 in der ›Bohemia‹ erschienen. Das war allerdings noch tief in der Zeit des alten Österreich, in dem die politischen Gegensätze und Differenzen, so tief sie auch in Wirklichkeit waren, doch von dem täuschenden Zeltdach der Monarchie überdeckt und verundeutlicht waren. ›Die Fackel‹ wurde zwar schon seit 1899 von Karl Kraus herausgegeben, aber der Kampf des aus Jitschin in Böhmen stammenden Wieners gegen die »Journaille« hatte während des ersten Jahrzehnts die schreibende Welt noch keineswegs so tief beunruhigt wie späterhin. So muß ich es auch als eine meiner Jugendsünden eingestehen, zu Beginn der Tschechoslowakei einige Monate in der Redaktion des ›Prager Tagblatt‹ praktiziert zu haben. Meine Aufgabe waren »Entrefilets« über örtliche Aktualitäten und mein größter Triumph wurde eine Betrachtung über tschechische Friseure, die ihre Ladenzeichen (blitzende Messingbecken, wie ein solches als Helm des Don Quixote berühmt ist) im Gefühl ihres Nationalismus rotblauweiß anlackierten. Ich kommentierte: »Allzu politische Friseure sind oft genug ein Zeichen einer allzu frisierten Politik.« So weit durfte ich mit meinen kritischen Implikationen immerhin damals noch gehen. Da aber zu befürchten war, ich könnte noch deutlicher werden, so war dies das Ende meiner Praktikantentätigkeit im Umkreis der Rotationsmaschinen.

Ob Kafka die Gerichtssaalnotizen mit der Signatur »ei« las, ist mir nicht erinnerlich. Aber er wußte von Feigl, noch ehe dieser dem Redaktionsstab des ›Prager Tagblatts‹ beigetreten war. Dem ›Don Juan‹ gegenüber mochte er sich auf die von ihm auch sonst zuweilen gebrauchte vorsichtig-erstaunte Wendung zurückziehen: »Nein, so etwas würde ich niemals zuwege bringen.« Um Feigls Gedichte jedoch stand es anders. Die schienen Kafka schon 1915 zuzusagen. Er schrieb dem Autor, die Gedichte bekundeten eine undurchdringliche Mischung von Hoffnung und Verzweiflung und hätten gerade vermöge dieser Mischung etwas durchaus Stärkendes. Dabei betonte er allerdings vorsorglich seine eigene »Unzulänglichkeit gegenüber Gedichten«. Nun ist ja wohl Kafka ein Prosaist katexochen, dem das Lyrisch-Gebundene als Maske der Erlebnis- und Denkwirklichkeit erscheinen mochte (vielleicht auch das Dramatische, darein seine Prosa nachträglich zu kleiden mir persönlich zumindest als diskrepantes Vorhaben erscheint); daß er aber gute Lyrik von schlechter nicht hätte bewußt unterscheiden können, wäre eine unsinnige Annahme. Was er an Ernst Feigl über dessen Gedichte schrieb, war weder ein Ausweichen noch ein von Rücksicht bestimmtes Zugeständnis. Er glaubte, was er sagte, und empfahl ja auch Feigls Gedichte für Kurt Wolffs berühmte Reihe ›Der Jüngste Tag‹. Er tat dies sogar mit sehr starken Worten, keineswegs in der förmlichen Art, mit der andere um Empfehlungen angegangene Autoren eine lästige Pflicht loswerden möchten. Diese Gedichte, so schrieb er, würden »eine wesentliche Bereicherung« der Reihe sein, denn Feigl habe »noch starke, bei weitem noch nicht gehörte Möglichkeiten in sich«.

Diese Empfehlung hatte allerdings nicht den gewünschten Erfolg. In den 86 Bänden des ›Jüngsten Tag‹, die zwischen 1913 und 1921 veröffentlicht wurden, sind fünf Prager vertreten, Oskar Baum, Max Brod, Franz Kafka, Franz Werfel und ich selbst.*

Ein Prager Scherzo nunmehr! Es gibt Literaten, die es zu keiner Litera bringen, zumindest zu keiner gedruckten, die aber doch vermöge ihres Herumwanderns oder Herumsitzens im Gelände des Schrifttums, durch ihr Sprechen oder vernehmbares Denken, durch überraschende Bemerkungen, Handlungen oder Verhaltensweisen eine gewisse Wirkung üben, die mitunter von Person zu Person stärker sein kann als die

---

* Siehe hiezu die beiden von Paul Raabe herausgegebenen Gesamtveröffentlichungen: Expressionismus, Katalog der Ausstellung des Schiller National-Museums 1960; ferner: Expressionismus, Aufzeichnungen und Erinnerungen der Zeitgenossen, 1965.

geschriebener oder gedruckter Aussagen. In Prag gab es eine ganze Anzahl solcher Figuren. Der überbelesene Ernst Pollak war eine solche, ein ganz und gar unschöpferischer, aber höchlichst angestaunter Zyniker, ein Viel- und Besserwisser von stupender Behendigkeit, ein in allen Sätteln gerechter intellektueller Bankbeamter, scharfgesichtig, kleingestaltig, aber einen lebenskünstlerischen Rastignac erfolgreich mimend, auf den eine ganze Reihe hübscher und liebenswerter, sogar kluger Frauen hereinfiel, u. a. auch die von Kafka so tief geliebte und herrliche Milena Jesenská, die wir alle wie ein Wunder anstaunten und an die Kafka seine ergreifendsten Liebesbriefe richtete (herausgegeben von Willy Haas). Ein anderer war Otto Rosenfeld, der ein kleines exquisites Kaffeegeschäft betrieb, aber überall mit dabei und außerordentlich witzig war. Dieser brachte es übrigens doch bis zur gedruckten Litera in Form von kleinen Tagblatt-Notizen, die er mit »Roeld« zeichnete, nachdem er vorher – wie man sagte – nicht nur aus seinem Namen, sondern auch aus der Geschichte den »Senf« eliminiert hatte. Es gelang ihm sogar mit allerlei Hilfe, einen Roman zu veröffentlichen, ›Malenski auf der Tour‹, die gesammelten Unglücke eines Geschäftsreisenden Malenski, talentiert festgehalten, weil der Autor eben bei allem, was er unternahm, talentiert war, ob es sich nun um seinen Kaffeeladen, das Improvisieren von Schüttelreimen oder das Parodieren von Gedichten Franz Werfels handelte. Er hätte es freilich nie gewagt, ja er wäre gar nicht auf den Gedanken gekommen, etwa Kafka parodieren zu wollen. Was er sonst immer aufs peinlichste vermied, Respekt nämlich, den hegte auch ein Rosenfeld aufrichtig und unbedingt gegenüber Kafka.

Die skurrilste Gestalt unter den Prager Literaten ohne Literatur war aber zweifellos Walter Fürth. Er war zwei oder drei Jahre jünger als ich, aber er kaptivierte mich durch seine Art oder vielmehr Unart so sehr, daß ich den damals (etwa 1918) in Prag lebenden ausgezeichneten Maler Egon Adler bat, dieses Original für mich zu porträtieren, ein kostenloser Freundschaftsdienst, den er mir gerne zuliebe tat. Das Bildnis ist, wie so vieles andere, bei meiner Flucht aus Prag (1939) dort zurückgeblieben, und ich weiß nicht, was damit geschah. Fürth sah darauf aus, wie er wirklich war, äußerlich und innerlich, bekrönt mit einem Riesenschopf wild-wirrer gekräuselter Haare, wie zahllose durch- und gegeneinanderlaufende haargespaltene philosophische Argumente, die alle zusammen das Gegenteil eines Systems ergaben, eine kompakte nihilistische Gesamtheit, unter der ein knopfnasiges Sokrates-Gesicht dialogbegierig und sarkastisch glänzte. Man las darinnen immer eins: »Aus dem Gespräch mit dir wird ja doch nichts herauskommen«, eine mißtrauisch-verächtliche Grundgesinnung gegenüber fast allen Menschen. Ich sage: fast. Denn ob ich ihn schon nahezu alle Menschen kritisieren hörte, mit denen ich ihn je beisammen sah, es mochten nun Schriftsteller, Rabbiner, Kaufleute oder seine eigenen Eltern sein, Kafka wurde von ihm nie angetastet. Fürths Geradheit grenzte oft an Unverschämtheit, ging aber daraus hervor, daß er mit unbetrügbar scharfem Auge die schwachen Stellen eines Gesprächspartners sogleich aufspürte und ihm nun erbarmungslos eine Maske nach der anderen abriß. Er ging nicht darauf aus, den anderen in Verlegenheit zu versetzen, als vielmehr darauf, die Verlegenheit, die dieser mit Schilden von scheinbarer Sicherheit verdeckte, bloßzustellen. »Tue nicht so sicher mit Meinungen, an die du im Grunde selbst nicht glaubst. Versuche nicht, mich zu täuschen!« Er verstand es meisterlich, jeden in die Enge zu treiben, und ich habe es erlebt, daß der Neunzehnjährige sogar einmal den damals immerhin schon vierzig Jahre alten Martin Buber unsicher zu machen suchte. Nicht aber Kafka.

Seiner Haartracht entsprechend hegte Fürth in sich das unkoordinierteste Durcheinander. Er war gleichzeitig Anhänger Hegels wie Schopenhauers, Spinozist und Neochrist, plädierte für Weininger und propagierte Selbstmord, um beizeiten der Ekelhaftigkeit, Flachheit, Schalheit und Unersprießlichkeit dieses völlig sinnlosen Lebens zu entkommen. Es blieb jedoch bei der Propaganda. Er lebte vom Tod, den er in allen Arten pries und feierte. Fragte man ihn: »Wie geht es?«, antwortete er ausnahmslos mit: »Ich leide.« Fragte man ihn: »Woran?«, so kam es zurück: »Wie können Sie so fragen, Sie Flachkopf? An Ihnen selbstverständlich. Denn Sie symbolisieren den Untergang der Menschheit.« Erkundigte man sich: »Arbeiten Sie irgendwas?«, antwortete er: »Gewiß. Ich arbeite wie irrsinnig.« Auf die Frage »Woran?« hieß es dann: »An einem Roman.« – »Seit wann?« – »Seit Jahren.« – »Wie weit sind sie?« – »Beim ersten Satz.« Und man merkte, daß er nahe daran war, hinzuzusetzen: »Sie Trottel«, weil er nicht begreifen konnte, wie ein junger Mensch sich entschließen mochte, einen zweiten Satz zu beginnen, ohne zu fürchten, daß – von unglücklichen Zufällen ganz abgesehen – schon die Zeit des gewöhnlichen, glücklich ablaufenden Lebens für einen ersten Satz bei weitem nicht hinreicht. Vielleicht war Fürth die burleskeste lebendige Kafkafigur, die in Prag herumlief, falls es nicht Weißenstein war, dem die Haupterzählung meines Bandes ›Prager Triptychon‹ gilt, der aber mit Kafka seltener in Berührung kam als Fürth. Diesem mußte Kafka unvermeidlich überall in der Stadt begegnen, nicht nur im Café, das ja Kafka nicht gar häufig besuchte, sondern auf allen Straßen, Gassen und Plätzen. Er war überall und – in einer bizarren Art – scheinbar überall gleichzeitig. Diese Simultaneität war ein absonderliches, verschiedenen Prager Figuren eignendes Phänomen, oder vielleicht verfügten manche von uns über eine multiplizierende Sehkraft. Fürth wird von Kafka nur ein einziges Mal im Briefwechsel erwähnt. Brod mochte in Verbindung mit Kafka an ihm vorbeisehen, weil ihm da nur das Wichtigste wichtig war, und überhaupt war Fürth ja kein »angenehmer Zeitgenosse« und hat sich – wie ich wohl weiß – Brod gegenüber allerlei Frechheiten herausgenommen. Und Kafka verzeichnete die Namen so mancher Personen nicht, von denen ich mit Sicherheit weiß, daß er sie kannte, ja daß er ihnen sogar Aufmerksamkeit zuwandte. Persönliche Aufzeichnungen sind ja keine peniblen Namens- und Ereignisregistraturen, sie sind es jedenfalls nur selten. Zu den besten Freunden Fürths gehörten Friedrich Thieberger und der Philosoph Felix Weltsch, also nach Brod einer der nächsten Freunde Kafkas. Bei Weltsch ging Fürth aus und ein (ich war öfters mit ihm dort), trank Kaffee und überschüttete die junge klavierspielende Hausfrau mit angriffslustigen Bemerkungen, während er nebenher über Gnade und Freiheit schwatzte, was das Zeug hielt, und dabei zwischendurch immer wieder auch etwas ganz Geistreiches losließ. Man mochte ihn indiskret und zudringlich und überdies physisch unangenehm empfinden, aber er blieb ein amüsantes Enfant terrible, das mit seinen ungenierten geistigen Kapriolen jeden beschäftigte und keinen langweilte.

Auch Kafkas guten Freund Oskar Baum besuchte er oft und übernahm es – ebenso wie ich – den lieben, wunderbaren blinden Mann gelegentlich in den Straßen spazierenzuführen, um die schwerbeschäftigte Frau Baum ein wenig zu entlasten. Da verlor Fürth freilich allen Zynismus. »Nie sehe ich so viel wie bei den Spaziergängen mit Baum«, sagte er. Und es war wahr. Der Blinde konnte im Gespräch die weitesten Perspektiven eröffnen. Wir liebten ihn innig. Von allen Menschen aus der Umgebung Kafkas war er es, der am heitersten und positivsten erschien, den schönsten Lebensglauben hatte. Vielleicht war gerade dies der Grund, warum der notorische Negativist Fürth sich zu ihm hingezogen fühlte. Aber, wenn er sonstwem begegnete, wurde er alsbald wieder der Geist, der stets verneint, und führte seine üblichen Tiraden über die unvermeidlich zugrunde gehende Menschheit, den Widersinn jeglichen Bestrebens, die Menschen zu bessern und zu bekehren, die nur noch in seltenen Einzelfällen erträglich, alle zusammen jedoch ein Gesindel seien, das sein Schicksal verdiente.

»Vorhin traf ich Kafka in der Zeltnergasse.«

»Worüber habt ihr gesprochen?«

»Über gar nichts. Ich bewies ihm, daß die Menschheit zugrunde geht.«

»Und was hat er darauf gesagt?«

»Was hätte er sagen sollen? Er hat gelächelt und den Kopf geschüttelt.«

»Zustimmend oder ablehnend?«

»Beides.«

Wenn Kafka lächelte, so mochte es bedeuten: im Grunde hast du ganz recht, aber was kann man da tun?

Fürth, der ahasverische Wanderer, war bei all seinem Nihilismus immer mit der Gründung und Vorbereitung imaginärer Zeitschriften befaßt, die die Aufgabe haben sollten, die Welt auf dem Wege der Literatur zu retten, die sich aber niemals realisierten.

»Gestern habe ich Kafka die Gründung einer neuen Zeitschrift vorgeschlagen.«

»Wie soll sie heißen?«

»Hesperus.«

»Und warum?«

»Blöde Frage. Der gleiche Planet, der am Abend als Hesperus und am Morgen als Venus figuriert.«

»Warum also nicht Venus?«

»Es soll doch keine erotische Zeitschrift sein.«

»Und was hat Kafka dazu gesagt?«

»Er fragte, ob ich einen Geldgeber habe. Und als ich sagte: ›Vorläufig noch nicht‹, riet er mir, doch irgendeinen reichen Mann lieber unter Vermeidung einer Zeitschrift hereinfallen zu lassen. Ein feiner Idealismus!«

Kurz nach dem Ende des Zweiten Weltkriegs starb Fürth. Aber er hatte mir vorher noch ein Paket nach New York zugesandt. Der Postbote brachte es in dem Augenblick, als ich gerade im Begriff war, zu übersiedeln und vor dem vollgepackten Möbelwagen stand. Ich riß es auf und sah jedenfalls, daß es ein Manuskript enthielt. Außerstande, mich damit in diesem ambivalenten Augenblick zu beschäftigen, legte ich es zu unseren Besitzstücken in den Möbelwagen. Beim Auspacken aber war es nicht mehr zu finden. Sicher enthielt es den endlich abgeschlossenen Roman, der dreißig Jahre zuvor im Café »Arco« mit dem Satz begonnen worden war: »Walter F. hatte von seinem Vater nichts geerbt als den Fluch zu leben.«

IX Vita brevis, ars longa

Das Mit- und Ineinander von Dichtung und bildender Kunst ist aus der Zeit, in der sich die Hauptproduktion Kafkas vollzog, nicht hinwegzudenken, ja vielfach sind Literatur und Kunst jener Phase nur aus einander erklärbar und verständlich. Zeugnis hiefür geben nicht nur die zahlreichen Doppelveranlagungen einzelner Künstler (z. B. Kubin, Kokoschka, Klee, Schreyer, Meidner usw.), sondern auch Veröffentlichungen wie ›Der blaue Reiter‹ (1912) und Zeitschriften wie Herwarth Waldens ›Sturm‹ oder Franz Pfemferts ›Aktion‹. Eine Betrachtung der Bedeutung der bildenden Kunst für Kafka muß davon ausgehen, daß er von Kindheit an von einem künstlerisch einzigartigen Stadtbild umgeben, sein Auge gewöhnt war an große Formen und Architekturen der Romanik, Gotik, Renaissance, des Barock vor allem und seiner Folgestile. In seiner ersten Universitätszeit inskribierte er Kunstgeschichte und damals, wenn nicht schon vorher, mußten ihm auch die Kunstsammlungen Prags genauer bekannt geworden sein. Mochten später verschiedene Auslandsreisen (Schweiz, Italien, Frankreich, Deutschland) Kafkas Kunstkennen bereichern – und wir finden hierüber in seinen Aufzeichnungen und Schriften zahlreiche Vermerke, Andeutungen und Reflexe –, so blieb doch die Heimatstadt der wichtigste und stetige ästhetische Nährquell. Die Karlsbrücke, die Theinkirche, der Veitsdom und manch andere Außen- und Innenarchitektur der Stadt lieferten die offenbaren oder geheimen Schauplätze vieler Prosen Kafkas.

In einer der gründlichsten Untersuchungen (›Kafka und die Kunstgeschichte‹, Wallraf-Richartz-Jahrbuch XXIII und XXV, 1961 und 1963) ist Heinz Ladendorf den Kunstinteressen Kafkas nachgegangen, dem bei ihm so auffallenden »ständigen Geben und Nehmen zwischen Dichtung und bildender Kunst«, der Bedeutungsfülle des »fast vor sich selbst verheimlichten« Kunstwissens Kafkas für seine Schaffensprozesse. Völlig »verheimlicht« war es ja keineswegs. Gustav Janouch berichtet in seinen Gesprächen mit Kafka, dieser habe sich gewünscht, zeichnen zu können. Aber die Juden, so erklärte er, seien keine Maler, sondern Erzähler. Bei anderer Gelegenheit allerdings (ebenfalls zu Janouch) bezeichnete er sich als »Augenmenschen«. Nun ist ja gewiß richtig, daß die bildende Kunst kein Lebenselement des originären Judentums darstellt, dem schon der Dekalog das Formen von Bildern verwehrt (strenggenommen ist ja jede menschengeformte und enthusiasmierende Schönheit bereits Götzenbild) und dem die abstrakte Gottesvorstellung bestenfalls den Zugang zum Ornamentalen, keinesfalls zum Figuralen offen läßt. Hans Kohn, ein Historiker und Völkerkenner von Rang und einer der bedeutenden Prager der Generation der beginnenden Neunzigerjahre, konfrontiert in einem seiner Werke Griechentum und Judentum mit den Worten: »Der Grieche sieht, der Jude hört«, wie denn auch die Definition des Gottesverhältnisses der Juden mit den vielsagenden biblischen Gebetsworten einsetzt: »Höre, Israel!« Dementsprechend ist im Gange der Zeiten von König David bis zur Gegenwart die jüdische Musikalität auch immer bedeutender gewesen als das bildend-künstlerische Schaffen, obschon dieses seit der sogenannten »Emanzipation« der mitteleuropäischen Judenheit und im Zuge der nachfolgenden Assimilationsprozesse an Gesamtbedeutung wie an eindrucksvollen schöpferischen Persönlichkeiten zunahm. Ob freilich solcher Gewinn die vermöge der Assimilation bewirkte Substanzeinbuße aufwiegen kann, muß wohl fraglich bleiben.

Kafka bekundete jedenfalls nicht nur eine ausgeprägte Neigung zu Werken der bildenden Kunst, sondern unterlag selbst lebhaften künstlerischen Anwandlungen, die durch eine Reihe bekannt gewordener Proben bereits bezeugt sind, während noch viel mehr davon der Veröffentlichung harren. Welche Rolle die malerische oder zeichnerische Neigung und Begabung eines Dichters oder Schriftstellers für sein literarisches Schaffen, sein Welt- und Daseinsbild spielen kann, wird bei Goethe, Stifter, Keller oder Hesse augenfällig, um nur diese eklatanten Fälle anzuführen. – Aber die Bedeutung von Kunstassoziationen und der aktive Kunst- und Bildwille der Autoren wuchs besonders seit dem französischen Impressionismus und Nachimpressionismus, der eine immer tiefer werdende Bekanntschaft mit ostasiatischer Kunst anregte und vermittelte, sonderlich mit Meistern des japanischen Holzschnitts wie Harunobu, Hokusai, Toyokuni oder Hiroshige. Dies war ja nicht bloß eine künstlerisch-ästhetische Erfahrung, sondern das Kennenlernen eines völlig anderen philosophischen Weltbilds, dem auch die gleichzeitig zunehmende Kenntnis von Werk und Wirkung Lao Tses, Dschuang Tses und Kung-Fu-Tses entsprach. Japanische Holzschnitte wurden von einzelnen Pragern begeistert gesammelt und im Café »Arco« eifrig besprochen. 1914 erwarb ich meinen ersten Toyokuni (der noch heute in meiner New Yorker Wohnung hängt) bei dem Prager Buchhändler Pyšvejc in der Heinrichsgasse, wo auch Kafka manchesmal herumstöberte und wo überdies ganze Stapel von Daumier-Lithographien herumlagen. Dem Interesse an ostasiatischer Kunst folgte konsequenterweise das Interesse an jeder Art von exotischen und »primitiven« Kunstäußerungen, insbesondere der der Neger, dann auch der Kinder und auf anderer Ebene auch der Bildnerei der Geisteskranken. Die allgemeinen Schönheitsbegriffe wurden einer Revision unterzogen, die essentiell freilich nicht so neu und revolutionär war, als man vermutete. Hatte nicht schon Goethe 1773 in seinem Aufsatz ›Von deutscher Baukunst‹ warnend bemerkt: »Die Kunst ist lange bildend ehe sie schön ist und doch so wahre, große Kunst, ja oft wahrer und größer als die schöne selbst«? Er nahm Bezug auf die Bildnerei der Wilden, und Riemer überliefert von ihm noch drei Jahrzehnte später den für das Zeitalter erstaunlichen Satz: »Die höchsten Kunstwerke sind schlechthin ungefällig, sie sind Ideale, die nur approximando gefallen können und sollen« (ein Satz, der übrigens auch bereits in den Fragmenten des Novalis verbatim auftaucht). Goethe hatte schon in Straßburg vorweggenommen, was Carl Einstein oder Picasso 150 Jahre später über Negerplastik verkündeten, indem er sagte: »Denn in dem Menschen ist eine bildende Natur. Und so modelt der Wilde in abenteuerlichen Zügen, gräßlichen Gestalten, hohen Farben seine Cocos, seine Federn und seinen Körper. Und lasset diese Bildnerei aus den willkürlichsten Formen bestehen: sie wird ohne Gestaltverhältnis zusammenstimmen; denn eine Empfindung schuf sie zum charakteristischen Ganzen.« Goethes Kunsteinsichten, die gerne ebenso unterschätzt werden wie seine Musikalität, zeigen sich in solchen Aussagen weit fortgeschrittener als die seiner in verflossener Ästhetik schwelgenden Zeitgenossen oder späterer Beurteiler. Sie erscheinen aber auch in unserem Sinne hochmodern.

Die wenigen bisher bekannt gewordenen Zeichnungen Kafkas lassen einen ausgeprägten Sinn für das Markante erkennen, das Herausarbeiten etwa eines Hauptzugs einer Bewegung, gleichsam des »Moments der Petrefaktion«, wie Goethe dies ausdrückte, und der beispielsweise – alle vorhergegangenen und noch zu erwartenden Stadien einer Bewegung in sich konzentrierend – in Kafkas »Reiter« festgehalten ist, dessen schwungvollen Elan übrigens Ladendorf mit Recht dem Titelsymbol des ›Blauen Reiters‹ gegenüberstellt. Über Bewegung mag Kafka in Hellerau, wo sich die Dalcroze-Schule befand, mancherlei Erfahrungen gesammelt haben. Ich erinnere mich an die dort von dem tschechischen Künstler Hugo Boettinger gezeichneten »Bewegungsstudien«, die in Prag ein gewisses Aufsehen erregten und die Kafka ganz bestimmt kannte. Eine davon, die mir befreundete expressionistische Schauspielerin Fritta Brod aus Prag darstellend (spätere Gattin des Dramatikers Paul Kornfeld), befand sich in meinem Besitz. Zwischen Boettingers Gestalten und Kafkas bewegten Figuren bestehen gewisse Ähnlichkeiten. Hauptsächlich aber scheinen mir Kafkas Zeichnungen an die piktographischen Figuren primitiver afrikanischer Stämme zu gemahnen, deren schlagender und ungebrochener Bewegungs-Ausdruck eine Schriftsymbolik bildet, daher die logische Mitte zwischen Wort und Bild einnimmt.

Parallelen und Zusammenhänge zwischen Kafkas literarischer Bildwelt und der ihm zeitgenössischen bildenden Kunst können reichlich gezogen werden. Hierin hat Ladendorf unschätzbare Vorarbeit geleistet, wie er denn auch die Bedeutung der Kunstschöpfungen des Manierismus und der künstlerischen Labyrinth-Darstellungen für Kafkas Formen und Denkweise herausgearbeitet hat. Die Verbindungslinie zum Werk des expressionistischen Graphikers Alfred Kubin (1877–1959) läßt sich durch biographische Daten der Gemeinsamkeit verstärken. Kafka kannte den aus der mittelböhmischen (dazumal deutschsprachigen) Stadt Leitmeritz stammenden Deutschböhmen persönlich und erwähnt ihn mehrfach im Tagebuch und brieflich. Er hat ihn bei verschiedenen Gelegenheiten sehr aufmerksam beobachtet, scheint ihn aber menschlich nicht sehr gut vertragen zu haben. Künstlerisch jedoch wußte er ihn zu schätzen. Es will scheinen, daß Kubin, der meisterliche Darsteller des Grotesken, Bizarren und der »anderen Seite« der Existenz, eher von Kafka beeinflußt war als dieser von jenem. Kubin läßt auch gewisse Affinitäten an die russische Gefühlswelt erkennen (wie dies übrigens ähnlich bei dem Deutsch-Prager Rilke der Fall war). Seit dem Fin de siècle hatten ja auch vermöge neuer Übersetzungen die Werke der großen russischen Romanciers von Gogol bis Tolstoj ihren machtvollen Einfluß auf die deutschen Leser zu üben begonnen. Die Schriftsteller lernten an ihnen, die Maler illustrierten sie.

Die Parallele zwischen Kafka und Marc Chagall (geb. 1887) habe ich selbst schon in den beginnenden

Dreißigerjahren in der damals in Preßburg erscheinenden Kunstzeitschrift ›Forum‹ gezogen. Es leitete mich dabei das in den beiden Genies dominierende jüdische Element. Eine photostatische Kopie dieser Studie ist mir erst jetzt wieder (1965) auf Umwegen zugekommen. Und da scheint mir doch bemerkenswert, daß ich in jener Arbeit (der Besprechung der ersten Prager Chagall-Ausstellung im Kunstsalon Hugo Feigl) auf alle Künstler zu sprechen kam, die für Kafka Bedeutung erlangten oder jedenfalls gemeinsam mit ihm genannt werden müssen, Kubin selbstverständlich, aber auch Hieronymus Bosch, Callot, Goya, E. Th. A. Hoffmann, James Ensor und Paul Klee. »Auch Kafka«, so schrieb ich damals, »hat wie der Jude aus dem russischen Wittebsk, Marc Chagall, die unermeßliche Weite (die »širokaja natura«), auch bei ihm ist die Abstrusität kleinbürgerlicher Umwelt (wie bei Chagall die dörfische) von chassidischer Weisheit durchdrungen. Auch bei ihm wird ein Blumenstrauß plötzlich überlebensgroß, scheint der Mensch jählings über die Landschaft zu fliegen (als Person, nicht in Ballon oder Flugzeug), auch bei ihm reitet er auf absonderlichen Gebilden durch absonderlichen Raum, beginnt der Hausrat Unterhaltungen mit seinem Eigentümer, mischen sich Dinge und Tiere in den Lebensablauf der Menschen.«

Das Ganze bleibt Parallele, jedoch als solche für das Zeitalter aufschlußreich und für Kafka als Kind dieses Zeitalters. In Kafkas bislang bekannten Vermerken taucht Chagalls Name ebensowenig auf wie der von Paul Klee (1879–1940), der ebenfalls ganz bestimmt durch Ausdruck und Ideenwelt der Kafka-Sphäre mit angehört. Ich habe zu Beginn der Zwanzigerjahre Paul Klee veranlaßt, mir eine größere Anzahl von Zeichnungen und Aquarellen für die erste Prager Paul-Klee-Ausstellung zur Verfügung zu stellen, die mit mir befreundete junge tschechische Künstler zu veranstalten wünschten. Klee sandte mir eine große Menge von Material, das hoch versichert war und daher das Mißtrauen des Zollbeamten erregte, der es mir aber nach Durchsicht zollfrei überließ und dies mit den Worten begründet: »Solche Dinge malt mein kleiner Junge zu Hunderten.« So zog er unbewußt die durchaus zutreffende Linie zur Kinderkunst, wobei er uns Kosten ersparte. Ich half dann beim Hängen der Bilder im damaligen Rudolfinum, weiß aber nicht, ob Kafka diese Ausstellung noch zu sehen bekam. Gewiß lassen sich Entsprechungen zu Kafkas Welt auch bei Odilon Redon (1840–1916) und besonders bei James Ensor (1860–1949) beobachten, von dem Ladendorf die frappante Darstellung eines verkäferten Menschen reproduziert, mit der Ensor schon 1888 das später durch Kafka so berühmt gewordene tragigroteske Motiv der Verwandlung vorwegnahm. Dieser Fund hat geradezu etwas Erschütterndes.

Im Kreise oder in den Ateliers der mehr oder weniger kubistischen avantgardistischen Maler der Tschechen, mit denen ich seit 1916 steten freundschaftlichen Umgang pflegte, bin ich Kafka nicht begegnet (Josef Čapek, Václav Špála, Vlastislav Hofman, Emil Filla, Jan Zrzavý, Rudolf Kremlička). Vlastislav Hofmans grafischen Zyklus von Gestalten nach Romanen Dostojewskijs, etwas kühl und den Holzschnitten des Bildhauers Josef Bílek verwandt, kannte er von einer Ausstellung, und ich glaube mich zu erinnern, daß er ihm zusagte. Josef Bíleks Skulpturen schätzte Kafka (und überschätzte sie vielleicht), Josef Václav Myslbeks bedeutendes St.-Wenzelsmonument auf dem Prager Wenzelsplatz bewunderte er rechtens, während er die sonstige Prager Denkmalsplastik (wie Ladislav Šalouns Husdenkmal auf dem Altstädter Ring) für mittelmäßig, in gewissen Fällen ebenfalls rechtens für miserabel hielt. Unter den Prager Malern zeichnete sich Willy Nowak (der Herkunft nach eigentlich zwischen Tschechen und Deutschen einzuordnen; er war der Schwager Theodor Däublers) durch seine farbensatte und lebensfrohe Landschafts- und Genre-Kunst aus. Für seine Arbeiten hatte Kafka viel übrig und erwarb auch etwas von ihm.

Ich hatte bereits 1918 in der Berliner ›Aktion‹ auf die damals jüngste tschechische Kunst der kubistischen Avantgarde hingewiesen, aber im ganzen kann man sagen, daß ihre eigentliche Blütezeit erst in den Zwanzigerjahren einsetzte und daher nur mit gelegentlichen Einzelwerken Kafkas Gesichtskreis erreichen konnte. Sein Kunsturteil war in solchen Fällen ebenso rein und echt wie alles, was von ihm ausging.

Wenn er aber den Bildhauer Bílek so besonders hochschätzte, mochte dies vielleicht zum Teil daran liegen, daß dieser isolierte Künstler, durchaus ein Fall sui generis, fühlbare Affinität zu dem großen, von uns allen hochbewunderten symbolistischen tschechischen Lyriker der Zeit, Otakar Březina, aufwies.

Mögen Kafkas eigene zeichnerische Skizzen auch immer nur eine »sideline« des erzählenden Prosaisten und philosophischen Suchers bleiben, zu seinem Erzählen und zu seinem Suchen gehören sie doch und ergänzen es überaus aufschlußreich. Dies war ebenso bei Goethe der Fall, der – nachdem er von dem Plan, sich völlig der Malerei zuzuwenden, abgekommen war – doch beharrlich weiterzeichnete, nicht nur weil er sich auf diese Weise Gesehenes und Erlebtes visuell festhalten und leichter wieder vergegenwärtigen, sondern weil er es in einem anderen als dem literarischen Medium interpretieren konnte. Gewiß hätte Kafka nicht schon als junger Mensch mit schulgerechten kunstgeschichtlichen Studien begonnen, wenn er in der Kunst nicht einen unentbehrlichen Erkenntnis- bzw. Ausdrucksweg für sich selbst vermutet hätte. Der von Werken hoher Kunst Umgebene wünschte genau zu wissen, was eigentlich rund um ihn vorging. Daß er aber die bildende Kunst nicht zu seinem Hauptmedium wählte, erklärt sich wohl aus jenem »Höre, Israel«, dem das gesprochene oder geschriebene Wort, die vernehmbare Aussage, vollkommener entsprach.

X 11. Juni 1924

Der 11. Juni 1924, ein Mittwoch, begann in Prag mit einem freundlichen Morgen. Die Stadt lag bereits in Sommerlicht und in anhebender Ferienstimmung. Die Republik, unter der Ägide des weisen Thomas Garrigue Masaryk, bestand nun seit fünfeinhalb Jahren und schien trotz aller inneren Konflikte und äußeren Probleme in ihrem Wesen gesichert. Die Prager jedenfalls (und auch die Deutschen unter ihnen) hatten dieses Gefühl. Die historische Stadt, mit hell übergoldetem Dachwerk und darunter den tiefen Schlagschatten zeitloser nationaler und konfessioneller Kontraste, rüstete sich aus ihrer Morgenbehaglichkeit zu dem gemäßigten Fleiß eines Spätfrühlingstages, der wie immer von der smaragdenen Pracht der Gärten durchglüht sein würde, durchklungen auch von steten Hintergrundsakkorden böhmischen Musikantentums, durchduftet von Selchwaren- und Biergerüchen und immer verhalten vibrierend in ansteigend kämpferischen Stimmungen gegen den Abend zu.

Die Zeiten waren zwar nicht ganz einfach, aber wo waren die Zeiten? In Italien veranstalteten die Fascisten ihre schwarzen Umtriebe; aber Italien war weit. In Rußland war Lenin im Januar gestorben und Trotzki verbannt worden; aber Rußland war weit, und es war längst nicht mehr das allumfassende slawische Mütterchen verflossener panslawischer Zeiten. In Amerika war Woodrow Wilson am 3. Februar gestorben und somit einer der Hauptarchitekten des neuen Friedens dahingegangen; aber Europa glaubte sich schon wieder von Amerika sehr, sehr weit entfernt. In Deutschland war ein unbekannter Lärmmacher damit beschäftigt, ein Buch ›Mein Kampf‹ zu schreiben. Aber was schert uns Deutschland? In Prag interessierten sich die meisten dafür, daß bei den Damen der Bubikopf in Mode kam; ein Weltereignis, eine ungeheure Veränderung.

Für die deutschen Dichter und Schriftsteller Prags, insbesondere für die deutschen Juden dieser Stadt, war der 11. Juni düster und schmerzvoll. Franz Kafka war acht Tage vorher im Sanatorium Kierling im Wiener Wald bei Wien seinen langen und qualvollen Leiden erlegen. Man hatte ihn nach Prag übergeführt, und an diesem Mittwoch nun, nachmittags um vier Uhr, sollte er bestattet werden. Der Knecht Gottes war gegangen, der Aphoristiker der Prosa schien auch sein Leben aphoristisch zu begreifen. Sein Tod traf die Familie, die Freunde und Bekannten wirklich wie ein Blitzschlag und schien unglaubwürdig, obwohl die meisten schon seit langem wußten, daß er kommen mußte. Aber wir alle – auch die Dichter unter uns, die doch schon von Jugend an den Tod betrachteten und besangen – waren mit seiner unmittelbaren Wirklichkeit in unserem Kreise nicht vertraut. Ich allein hatte den jungen Dichter Brand in seiner Armenwohnung in Prag sterben gesehen. Sonst hatte der Krieg uns zwar Verwandte und Freunde und auch einen anderen Dichter entrissen (den hochbegabten Franz Janowitz), aber Krieg galt uns als ein von der Grausamkeit des Menschen über sich selbst und seine Nächsten verhängter Mord. Das war nicht der Tod, nicht der von Gott bestimmte, sondern ein gegen Gott gerichteter. Die deutschen Prager Dichter und Schriftsteller einschließlich Kafka haben menschenbeschlossenen Untergang niemals als »Tod« in gerechtem Sinne akzeptiert.

Kafka hatte sein einundvierzigstes Jahr noch nicht beendet. Ich glaube, daß es niemanden gab, der ihn persönlich gekannt und nicht geliebt hätte. Und es muß gesagt werden, daß alle, die Kafka liebten, um seinetwillen auch seine Freunde liebten und daß er ein unsichtbares Band zwischen allen schuf, die fühlten, sie seien in Kafkas Gegenwart und dadurch, daß er lebte und wirkte, mit etwas Höherem und Besserem verbunden und in sich selbst gefördert und bestätigt gewesen. Diese stärkende und zustimmende Kraft war von Kafka ausgegangen. Sollte sie nun plötzlich nicht mehr bestehen? Er war damals nicht »berühmt« im üblichen Sinne des Wortes. Andere Prager waren dies. Ihn schätzten außerhalb seines Prager Kreises nur die tieferen Wisser der Literatur, die wenigen Entdeckernaturen unter den Verlegern, Herausgebern, Schriftstellern oder Menschen des Geistes. Wir in Prag aber wußten, wer da in den alten Gassen durch unseren Tag schritt, wen wir über die Fahrbahn hinüber grüßten – und schon sein bloßer Gegengruß hatte den Schwung besonderen Ereignisses – oder mit wem wir da ein paar Häuser lang dahingingen oder vielleicht eine Weile oder eine Stunde irgendwo bei einer Tasse Kaffee saßen, ohne daß er selbst gar viel sprach (wobei doch jeder seiner Sätze immer und unter allen Umständen, ja jedes leicht hingeworfene Wort, tief bis zum Mittelpunkt der Erde reichte). Aber wie das zuging mit dem Tiefgang bis zur Erdmitte, das konnte niemand erklären, auch die nicht, die ihm »dem Grade nach« am nächsten standen, auch nicht einmal Max Brod, der durchleuchtende, immer anregende; nicht der philosophische Kopf Felix Weltsch; nicht der idealistische Religionsforscher Hugo Bergmann; nicht Oskar Baum, der von uns allen geliebte, dem der Steinwurf eines Knaben das Licht der Sonne geraubt hatte, der aber nun ungeblendet in das Strahlen der Seele zu blicken vermochte. Sie wußten allenfalls zu erklären, was Kafka meinen mochte, und man konnte dann ihren Deutungen zustimmen oder eine eigene dagegensetzen. Aber wie es zuging, daß Kafka sagte, was er sagte; wie es zuging, daß er es so sagte, wie er es sagte;

wie es zuging, daß man mit dem, was er sagte, und mit ihm selbst niemals in unmittelbaren Konflikt geriet; das wußte keiner von ihnen zu erklären. Dies aber lag daran, daß Kafka eben nicht ein Endergebnis, sondern der Anfang einer Epoche war. Und deshalb war auch sein Abbrechen für uns junge Dichter von besonders tiefer Angst begleitet.

Werfel, der schon seit etlichen Jahren fern von Prag lebte und nur gelegentlich zu Familienbesuchen heimkam, sagte mir einmal: »Ich würde Kafka viel mehr lieben, wenn er nicht so nihilistisch wäre.« Wie nihilistisch? Ein verfehlteres Urteil wurde selten ausgesprochen, obschon es aus Werfels Munde begreiflich klang. Das »Wir sind« und das »Einander« des Weltfreunds wehrten sich unwillkürlich gegen die unausschöpfbare Grundtragik der Existenz. Werfel hatte nichts Danaidisches an sich, er glaubte – zumindest damals noch – an die Möglichkeit des goldenen Ausgleichs, versuchte gerade während Kafkas Sterbenszeit in Verdi und Wagner, in Juarez und Maximilian die großen Kontraposte letztlich auszusöhnen. Wir alle liebten in ihm das welt- und lebenbilligende Genie, denn wir alle wollten ja Welt und Leben. Auch Kafka wollte dies. Ja, niemand kämpfte wie er so schwer und verzweifelt darum, keiner stellte sich wie er den unablässigen Enttäuschungen und Unauflösbarkeiten, die das Leben, die Welt und deren Menschen jedem bereiteten, der sich ganzen Herzens zu ihnen bekannte. Ein solcher Bekenner, nicht ein Nihilist war Kafka. Der unvergängliche Wert seiner Meisterschaft bestand in dem Lehrbild einer unbestechlichen Wahrnehmung eigener geheimer Schwächen, so daß er sich bei jedem Werk fragmentarisierte, um wieder ganz von neuem zu beginnen, das heißt sich wieder ganz in den Ursprung zu demütigen.

Jetzt also hatte er uns verlassen, und des Nachmittags sollten wir ihn bestatten, auf dem »Fried«-Hof, wo »die Toten ruhn«. Irrtum! Sie ruhen nicht. Auf irgendeine Weise wird der Leib der Erde wieder zugesellt, aber was könnte dies gegen den ewigen Bestand des Geistes besagen? Wir aus seinem Dunstkreis ahnten nicht bloß, wir wußten seine Größe, nicht alle von uns freilich, wie weit sie wirksam und sichtbar würde. In der Welt der deutschen Dichtung lebten und schufen noch immer hochbedeutende Geister, die das Antlitz dieser Literatur mit geprägt und neu belebt hatten; nördlich, im inflationsgequälten Deutschland, und südlich in dem seiner uralten Daseinskoordinaten beraubten Wien funkelten vielerlei dichterische Hoffnungen, die man, um sie rezensieren zu können, dem ungefügen Sammelbegriff »Expressionismus« zuwies. Etliche von uns Pragern wurden dazugerechnet, auch Kafka. Dennoch wußten wir uns als eigene Gemeinde von verbürgter Reinheit unseres sprachlichen Ausdrucks und erprobt in langwierigen Erfahrungen im Pro und Kontra engster Symbiose mit den Slawen. So waren wir besondere Deutsche, besondere Österreicher, besondere Böhmen, und die meisten Freunde

Kafkas darüber hinaus auch noch von der Besonderheit der jüdischen Problematik mitbestimmt. Aus dieser Gemeinde war nun mit seinem Tode ein Schlußstein plötzlich ausgebrochen, die Wölbung aufgerissen. Würde sie je wieder sich schließen, oder würde sie einstürzen? Würden die Wetter den Bau vollends durcheinanderwerfen? Die Wetter blieben nicht aus. Der Bau brach ein.

In Wirklichkeit endete mit Kafka das geistige Prag jener tschechisch-deutsch-österreichisch-jüdischen Synthese, die die Stadt metropolitan getragen und durch Jahrhunderte inspiriert hatte. Am wenigsten noch merkten das damals die Tschechen, wie sie denn überhaupt das geistige Leben ihrer deutsch schaffenden Landsleute nur gelegentlich, unzulänglich und eher indifferent wahrnahmen. Als einer Ausnahme sei hier der jugendlichen Milena Jesenská gedacht, die Kafka geliebt und auch einige seiner kürzeren Prosastücke ins Tschechische übertragen hatte. (Sie übertrug: ›Der Heizer‹ für die von Stanislav Kostka Neumann herausgegebene Zeitschrift ›Kmen‹ [1920]; ferner ›Das Urteil‹; ›Die Verwandlung‹; ›Betrachtung‹. – Von Milena Jesenská stammte auch der einzige tschechische Nachruf auf Kafka in der Prager Zeitung ›Národní Listy‹ am 6. Juni 1924. Siehe über diese in einem deutschen Konzentrationslager zugrunde gegangene wunderbare Frau das Buch ›Kafkas Freundin Milena‹ von Margarete Buber-Neumann, München 1963.) Aber fast all die anderen literarischen Tschechen wußten über mittelmäßigste französische Skribenten weit besser Bescheid als über ihre Nachbarn aus der nächsten Gasse, mochten sie nun Rilke, Kafka, Werfel oder Brod heißen, der doch selbst so viel für das Weltverständnis tschechischer Kultur vollbracht hatte. In einer bestimmten Art war diese Unaufmerksamkeit der Tschechen damals sogar zu begreifen, waren sie doch vorerst noch ganz taumelig, berauscht und sogar bestürzt von der unvermutet über sie hereingebrochenen staatlichen Selbständigkeit und verwirrenden Vorherrschaft über andere Völker. Wie hätten sie auch damals ahnen können, daß der Name des deutschen jüdischen Schriftstellers, der ja auch sonst kaum bekannt war und der an diesem Nachmittag bestattet werden sollte, unlöslich verknüpft bleiben würde mit dem Lebensnamen ihrer charismatischen Hauptstadt Prag? Wie hätten sie auch nur entfernt vermuten können, man würde einstmals weit in der Welt auf die bloße Nennung des Namens »Kafka« gleichsam unwillkürlich mit »Prag« reagieren, ja daß diese historische Stadt von europäischer Bedeutung schon in drei Jahrzehnten für zahllose Menschen lediglich als Heimat Kafkas Bedeutung haben würde?

Und dennoch – Kafka war Prag und Prag war Kafka. Nie war es so vollkommen und so typisch Prag gewesen, und nie mehr sollte es dies sein wie zu Kafkas Lebzeiten. Und wir, seine Freunde, »the happy few« – wenn solcher Ausdruck am Begräbnistage statthaft war –, wir wußten, daß dieses Prag auch überall im Werke Kafkas in feinsten Quanten enthalten war. Wir konnten und können noch dieses Prag mit jeder von Kafka geschriebenen Zeile auf die Zunge nehmen, sosehr auch sein Werk sich von Jahr zu Jahr vergrundsätzlicht und scheinbar der örtlichen und persönlichen Bindungen enthoben hat. Es ist Kafkas nahezu satirisches Verdienst, daß jenes Prag, das mit ihm abschloß, doch nicht mit ihm begraben wurde, obschon niemand, nicht einmal jeder von jener »band of brethren«, dies damals wußte.

Jeder fuhr oder wanderte auf seine Weise zu dem jüdischen Friedhof von Strašnice, einem Vorort an der Peripherie von Prag. Das am Morgen noch liebliche Wetter hatte sich inzwischen verdüstert. Die majestätische Stadt mit ihren Türmen und dem brückenüberklammerten Strom ist von dem Strašnicer Plateau aus nicht mehr sichtbar. Dort öffnet sich bereits das Gelände nach Böhmen hinein und ist vorgesehen für die schweigenden Ordnungen der Abgeschiedenen, deren Reiche schon vorher im Norden beginnen, wenn von Weltgegenden bei Toten gesprochen werden kann. Daß Kafka nun hier beheimatet werden sollte, war seltsam und unglaubwürdig, wußten wir doch um sein stärkeres Dasein (hic et ubique) und daß er uns in gewandelten Gestalten immerzu unerwartet begegnen würde; je näher wir dem Totenacker kamen, um so mehr verließ uns das Gefühl der Endgültigkeit.

Ich ging in dem Trauerzug, der Kafkas Sarg von der Zeremonienhalle zum offenen Grab geleitete; hinter der Familie und der bleichen Gefährtin, die von Max Brod gestützt wurde, ging ich mit seinen Freunden. Sie alle waren damals noch jung, die ältesten jedenfalls (Brod, Hugo Bergmann und Oskar Baum) erst am Beginn der Vierzig; Felix Weltsch, Ludwig Winder, Rudolf Fuchs und Friedrich Thieberger (mein Schwager und Kafkas Hebräischlehrer) noch in den Dreißig, ich war im neunundzwanzigsten Jahr. Nur wenige von den etwa hundert Menschen, die damals unter den Weiden und Zypressen mitschritten, leben jetzt noch und konnten Zeugen von Kafkas paradigmatischer Weltbedeutung werden. Als der Sarg sank, schrie Dora Dymant qualvoll und durchdringend auf, aber ihr Schluchzen, das ja nur der ermessen konnte, für den es bestimmt war, umschleierte der Nachklang des hebräischen Totengebets, das die Heiligkeit Gottes und die herztiefe Hoffnung auf Erlösung verkündigt. »Schreiben als Form des Gebets«, das war Kafkas Definition des Schriftstellers gewesen; und: »Wenn auch keine Erlösung kommt, so will ich doch in jedem Augenblick ihrer würdig sein«, das war sein Glaube. Wir warfen Erde in das Grab. Ich habe diese Erde genau in Erinnerung. Es war helle, klobige, lehmige, mit zerbröckelten Steinstückchen und Kieseln durchsetzte Erde, die mit Gedröhne auf die Sargkiste fiel. Dann löste sich die Trauergemeinde. Ich ging mit meiner Frau, die schon von Kind an freundnachbarlich mit Kafka verbunden gewesen war, und mit dem Dichter und Übersetzer Rudolf Fuchs zwischen den

Gräbern davon. Es wurde kein Wort gesprochen. Endlich fing es gar aus dem trüb gewordenen Himmel zu regnen an.

Acht Tage später (am 19. Juni, elf Uhr vormittags) fand in der »Kleinen Bühne«, dem damaligen Prager Deutschen Kammertheater, die Gedenkfeier für Kafka statt. Das Verdienst, sie veranstaltet und den Saal dafür bereitgestellt zu haben, hatte der Prager Lyriker Hans Demetz, Vater des jetzt in den USA wirkenden Literaturforschers Peter Demetz. Hans Demetz war damals Dramaturg der Prager Deutschen Bühnen. Der Saal, der etwa 500 Personen faßte, war voll besetzt, fast ausschließlich von deutschsprachigen Prager Juden. Nicht daß etwa die Tschechen oder die nichtjüdischen Pragerdeutschen sich ferngehalten hätten. Aber nur für sehr wenige von ihnen hatte der Name Kafka damals ein Gewicht. Kurt Wolff und Ernst Rowohlt hatten zwar schon seit 1913, also seit mehr als einem Jahrzehnt, Kafkas Bedeutung erkannt, ›Betrachtung‹, ›Der Heizer‹, ›Die Verwandlung‹, ›Das Urteil‹, ›Ein Landarzt‹ und ›In der Strafkolonie‹ waren erschienen, und wer mit geschärftem Gehör nach der Literatur hinlauschte, mußte spüren, was vorging. Aber wie immer hörten die meisten ganz anderswo hin. Für viele dieser Nicht-Hörenden kam dann später die Phase des Fühlen-Müssens.

Nach einführenden Worten von Hans Demetz, der auch im Namen des von ihm und dem Dichter Hans

Regina von Nack begründeten Prager »Literarisch-Künstlerischen Vereins« als Mitveranstalter sprach, hielt Max Brod die große Eloge. Er war der älteste und nächste Freund, der zuverlässigste Kenner des Menschen Kafka. Er ist ein Prager, der selbst Prag zum Schauplatz seiner Romane gewählt hatte, und er konnte Kafkas Erscheinung aus ihrer ureigensten Welt und als tiefen Spiegel dieser Welt heraufbeschwören. Mehr noch: er war und ist der Geist, dem die Welt den Autor Kafka zu verdanken hat, sein wahrer Vater, der mit Glück und Schmerzen und mit einer Selbstbescheidung ohnegleichen Kafka auf seinen labyrinthischen Pfaden geleitet hatte. Von ihm, der 1964 sein achtzigstes Jahr überschritt, kann nur mit größter Verehrung gesprochen werden, und nur wer persönlich am deutschen literarischen Leben Prags in jener Zeit teilhatte, kann ermessen, welche Fülle unaufhörlicher Anregung von ihm ausging. Überaus bedauerlich ist es daher, daß seine bei der »Nekyia« Franz Kafkas gehaltene Rede verlorenging. Er sprach von der Zukunft Kafkas, von einem Kafka-Zeitalter, das kommen würde, das ihn begreifen würde als aufbauenden Erkenner der menschlichen Grundnatur, die ihre Schwächen und Unzulänglichkeiten zeitentsprechend äußert. Er sah ihn somit als das, was ein Dichter zu sein hat, als einen Warner nämlich, »to cherish the slaves and to horrify the despots« (Walt Whitman), und als das, was alle großen Propheten gewesen waren, über deren mystischer Union mit ihrer Gemeinde der

Glanz der »Schechina« ruhte, die Gegenwart Gottes unter den Menschen.

Mir fiel es zu, nach Max Brod im Namen der jungen Generation der Dichter zu sprechen. Und auch ich hatte – völlig unabhängig von Brod – die Idee des Weiterlebens und einer tiefen und zugleich weithin reichenden Gemeingeltung Kafkas zum Thema gewählt. Und so war diese Totenfeier eigentlich zu einer Lebensfeier geworden, auch in religiösem Sinne rechtens, denn der Friedhof heißt ja bei den Juden »das Haus des Lebens«, und wir, die ihn bestattet hatten, und auch andere Freunde, die bei jener Feier sich vernehmen ließen, beharrten darauf, daß er bleibe und sei, der er sei. In seiner Selbstbiographie ›Streitbares Leben‹ gibt Max Brod einen von ihm aufbewahrten Zeitungsbericht wieder, der daran erinnert, daß nach seiner und meiner Ansprache der Schauspieler des »Prager Deutschen Theaters« Hans Hellmuth Koch die Friedhofszene ›Ein Traum‹ las und zuletzt ›Eine kaiserliche Botschaft‹, die er – von Rührung überwältigt – ganz leise ausklingen ließ.

Im Jahre 1959 – also fünfunddreißig Jahre nach jener Feierstunde – wandte sich der Verlag Hartfrid Voss, Ebenhausen bei München, an mich, der damals schon seit achtzehn Jahren in New York lebte, mit der Bitte, ihm meine Ansprache über Kafka für einen vorbereiteten Band zu überlassen, der unter dem Titel ›Unsterblicher Genius‹ das Gedenken deutscher Dichter in den Nekrologen ihrer Freunde erneuern sollte.

Max Brods Rede sei verloren und nicht wiederherstellbar. Nun besaß ich aber die meine auch nicht mehr. Ich hatte sie 1939 bei meiner Flucht in Prag zurückgelassen. Doch war mir bewußt, daß Paul Westheim einige Monate nach jener Gedenkstunde den Hauptteil meiner Ansprache in seiner Zeitschrift ›Das Kunstblatt‹, Berlin, veröffentlicht hatte. Aber auch diesen Abdruck besaß ich nicht. Jedoch wie schon mehrfach half mir die Library of Congress in Washington, die meine Rede herausfand und mir eine Photokopie zugehen ließ. Es war ein merkwürdiges Wiedersehen über lange Zeiten und weite Räume hinweg. Manches würde ich heute vielleicht anders zu sagen wissen als einst in meiner Jugendlichkeit; aber das meritorische Bekenntnis besteht auch jetzt noch zu Recht – post tot discrimina rerum. Meine Worte von damals finden sich in dem angeführten Werk, das anschließend anstelle der verlorenen Rede Brods ein von ihm später verfaßtes Gedenkblatt bringt, dem freilich mit Rücksicht auf die Art seiner Beziehung zu Kafka ein innerlicher Vorrang gebühren möchte.

XI Gedenkrede

Der Text meiner Rede bei der Prager Totenfeier für Kafka war etwas länger als die einige Zeit nachher im Berliner ›Kunstblatt‹ veröffentlichte Fassung. Was der Herausgeber strich, ist mir nicht mehr genau erinnerlich. Viel aber dürfte es nicht gewesen sein. Die Andeutung künftiger Größe und Wirkung Kafkas mochte damals vielen nicht so überzeugend klingen, wie sie heute selbstverständlich erscheint.

Rede zum Ehrengedächtnis Franz Kafkas

»Ich sehe in diesem Raume die Freunde und Verehrer eines Menschen und Dichters versammelt, dessen höchste menschliche Eigenschaft zugleich seine stärkste dichterische Magie erzeugte. Wenn es in irgendeinem Falle restlose Kongruenz des Lebens und des Künstlertums gegeben hat, so war dies bei Franz Kafka. Dieser seltsame Mann schuf so, wie er lebte, in den selbstgewählten Mühen einer herzensstrengen Prosa, geadelt durch die unwillkürliche Bescheidenheit der wahren Erkenntnis. Das Leben solcher Menschen wird nur von den Allernächsten gewürdigt. Ihr Tod aber vereinigt die Zerstreuten, ihr Tod ist keineswegs etwas Negatives, vielmehr eine große Tatsache des Geistes, ein Kernpunkt geheimnisvoller und stets wachsender Solidarität.

Wie könnten wir vor einer Erscheinung, die ihr ganzes Leben aus Wahrheit, Reinheit und Schlichtheit zu bauen verstand, uns besser verneigen, als indem wir uns an ihr unseres eigenen Gewissens bewußt werden? Wie vermögen wir, eine Generation sehr schwankender Werte, dieses sich uns mächtig aufdrängende Beispiel lebendiger und dauernder mit uns fortzutragen, als indem wir es zu einem wirkenden Teil unser selbst machen? Indessen das äußere Gebilde von uns genommen und unerforschlichen Bewahrungsstätten anvertraut wurde, scheint uns schon in der Bindung an diesen Verstorbenen ein neues, besseres Herz zu wachsen. Dies ist vielleicht ein Sinn, eine Weisheit, eine Besänftigung aus diesem Abschied.

Die Wahrheit, meine verehrten Freunde, ist nur dort zu Hause, wo der Geist und das Leben nicht ohneeinander handeln können. Bei den meisten von uns stimmen sie fast überhaupt nicht, bei ganz wenigen vielleicht teilweise überein. Aber nur dort, wo die Eigenschaften der menschlichen Natur mit den Eigenschaften des Stiles innig verwandt sind, kann man dieser Natur, kann man diesem Stil einen rückhaltlosen Glauben schenken ... Der Mensch sollte weder den Künstler noch der Künstler den Menschen in sich einschließen. Nur wenn beide Konturen ineinanderfallen, erfolgt die wahre Fleischwerdung des Wortes.

Franz Kafka war ein Fanatiker seiner inneren Wahrheit. Wir wissen, daß in seinem ganzen Werk keine gezierte Zeile steht, daß über seiner ganzen kostbaren Prosa nirgends ein erzwungenes Lächeln, eine ersonnene Feierlichkeit lagert. Das vielfach Fragmentarische seines Schaffens ist uns ein Zeugnis seines Wahrheitsdrangs. Weil er um der Wahrheit willen mit seinen Gestaltungen kämpfte, zerbrach er sie; er zerbrach sie, weil er das Innere zeigen wollte, ihre innere Wahrheit ... So scheint es mir, daß er nur einen Bruder hatte: Kierkegaard – und nur einen Leitspruch: Daß nämlich nur der bis ans Ende Beharrende selig wird.

Heute wissen noch wenige, was für ein Meister in Franz Kafka von uns gegangen ist, und kaum ist jemand im Bereiche unserer deutschen Gegenwartsliteratur nachbarlich genug, um Kafka für das zu danken, was er ihr schenkte – man kann sagen, ohne daß sie es noch eigentlich richtig bemerkte ... So müssen wir warten, bis der Zeit wieder jene zarten Organe nachgewachsen sein werden, die notwendig sind, um das Allertiefste und Feinste zu erfassen ... Heute könnte diesem antikisch im modernen Sinne anmutenden, edel-einfältigen und still-großen Dichter vielleicht Knut Hamsun danken. Sonst wüßte ich niemanden.

Aber ich weiß, daß sich um das Werk des wundersamen Genies Franz Kafka immer mehr Werte der Verehrung und Liebe anordnen werden und daß dieses Vermächtnis mit einer einigenden Kraft stets alle Guten an sich heranziehen wird.«

XII Über die Vernichtung des Geschaffenen durch seinen Schöpfer

Im dreizehnten Kapitel der ›Geschichte des scharfsinnigen Ritters Don Quixote von der Mancha‹ erzählt Cervantes von der Bestattung des Dichters Grisostomo, der sich aus Liebe zu der Schäferin Marcella zu Tode verzehrte. Dabei handelt es sich nicht bloß um die Wiedergabe einer erphantasierten Fabel, sondern um ein Gleichnis, dem wir (im Sinne Goethes) ablesen können, alles, was geschehe, sei Symbol, und indem es sich selbst vollkommen ausdrücke, weise es zugleich auf etwas Höheres hin. So dürfen wir in der schönen Schäferin Marcella das Leben selbst erkennen, mit all seinen Verführungen und Vergeblichkeiten, und in dem Dichter Grisostomo die inständig nach dem Sinn des Lebens begehrende Seele, die von dem Leben angenommen sein und in ihm »dans le vrai« bestehen möchte, aber mit diesem Wunsch nach dem im Grunde allereinfachsten, aber schier unerreichbaren Glück scheitert.

Rund um die Bahre des Toten, dem die Schar seiner trauernden Freunde zusammen mit dem fahrenden Ritter, dessen Knappen und noch einem zufällig Mitreisenden namens Vivaldo das Geleite gibt, liegen die Bücher und der handschriftliche Nachlaß des Verstorbenen, der seinem besten Freund Ambrosio den strengen Auftrag erteilt hatte, diese Hinterlassenschaft bei der Beerdigung dem Feuer zu übergeben. Der Scheiterhaufen hiefür ist bereits errichtet, und das Grab steht offen. Ambrosio nun hält seinem toten Freund die Gedenkrede. Er schildert seine Tugenden, seinen Geist, seine hohe Sittlichkeit, seine geselligen Vorzüge und die Echtheit seiner Freundschaft. Der Himmel habe Grisostomo mit der unendlichen Fülle seiner reichsten Gaben begnadet. Nicht nur sei er in der Übung alles Guten der vollkommenste Mensch gewesen, sondern auch einzigartig im Ertragen alles Unglücks. Er habe aus allen seinen Kräften geliebt, sei aber zurückgestoßen worden. »Mitgefühl suchte er bei Marmorfelsen; umarmen wollte er seelenlose Luft; er harrte des Widerhalls aus lautloser Wüste.« Und Ambrosio schließt die Eloge über seinen Dichterfreund mit der Beteuerung, er könnte das Ausmaß der Liebe Grisostomos aus den Manuskripten beweisen, die neben dem Grabe gehäuft liegen und allen Völkern der Erde zum Gedenken der großen Leidenschaft bestimmt waren, hätte ihm nicht der Verfasser dieser Schriften streng und ausdrücklich auferlegt, sie nach seiner Bestattung zu vernichten.

An diesem Punkte seiner Rede nun wird Ambrosio von jenem Vivaldo unterbrochen, der zusammen mit

Don Quixote dieser makabren Feier mitten in der schönen Gebirgslandschaft beiwohnt. Er fühlt offenkundig eine ideologische Verpflichtung, sich hier einzumischen und den Verlust von irgend etwas Unschätzbarem zu verhindern, das er zwar gar nicht kennt, dessen allgemeine Tragweite aber den Andeutungen Ambrosios zu entnehmen war. »Wolltet Ihr diese Papiere verbrennen«, so sagt er, »dann würdet Ihr strenger und grausamer handeln als der Verstorbene. Denn es ist weder gerecht noch klug, den Willen eines Toten zu vollstrecken, wenn seine Anordnungen die Grenzen des vernünftig Zulässigen überschreiten. Hätte zum Beispiel Caesar Augustus recht daran getan, wenn er Virgils, des göttlichen Mantuaners, letzten Willen pünktlich hätte vollziehen und die Aeneis hätte verbrennen lassen? Wenn Ihr also auch den Toten in die Erde senkt, so sollt Ihr doch die Schriften des Lebendigen nicht der Vergessenheit ausliefern, denn es ziemt nicht bedenkenlos dem stattzugeben, was der Dichter im Unmut anordnete.« Und um seinem Eingreifen noch größeren Nachdruck zu verleihen, fährt Vivaldo fort: »Bedenkt, daß Ihr ja vielleicht nun erst diesen Aufzeichnungen ihr volles Dasein verleihen und damit bewirken könnt, daß Marcellas (d. h. des Lebens) Grausamkeit allen Geschlechtern im Gedächtnis bleibe, damit in kommenden Zeiten den Menschen ein Beispiel errichtet sei dessen, was sie meiden müssen, um nicht in ähnliche Abgründe zu stürzen. Denn Grisostomos Schicksal kann uns lehren, welches Ende alle finden müssen, die mit verhängten Zügeln auf sinnlosen Irrwegen dahinstürmen.« Und nun übernimmt es Vivaldo, im Namen aller Anwesenden zu sprechen, und schließt mit den Worten: »Wir bitten dich also, Ambrosio, sei verständig und laß ab von dem Vorhaben, diese Papiere zu verbrennen.« Indem er dies sagt, nimmt Vivaldo auch gleich eines der Manuskripte an sich, das die Überschrift trägt: ›Gesang der Verzweiflung‹. Sein Eingreifen bestimmt Ambrosio, wenigstens teilweise nachzugeben, indem ein Bündel an Papieren bewahrt, das übrige aber den Flammen übergeben wird. –

So weit Cervantes, von dessen Werk ja viele Verbindungslinien zu Kafka gezogen werden können, nicht bloß etwa vom ›Don Quixote‹ zu ›Das Schloß‹, sondern auch von den ›Novellas Exemplares‹ (Geschichte des Zigeunermädchens) zu der von Kafka so sehr geliebten Opernfigur der Carmen; oder auch von dem grandiosen ›Gespräch der beiden Hunde des Auferstehungshospitals zu Valladolid‹ zu den ›Forschungen eines Hundes‹. Man denke etwa an die Gesellschaftskritik des Hundes Berganza, der dort sagt: »Wer kann der Schlechtigkeit steuern? Wer hat die Macht, den Menschen die Augen zu öffnen und ihnen zu zeigen, daß in Wirklichkeit die Verteidiger die Angreifenden sind, daß die Wachen schlafen und daß der, dem man Vertrauen schenkt, in Wahrheit ein Räuber ist und seinen Beschützer mordet?« Worauf der Hund Cipion mit realistischer Trockenheit antwortet: »Du hast vollständig recht.« Hier sei eingeschaltet, daß Kafka, der besonders nach der ›Wahrheit über Sancho Pansa‹ aus war (Titel eines seiner Aphorismen), in dem Knappen die eigentliche Triebkraft des Romans und ein hochangelegtes Symbol zu erkennen glaubte. Don Quixote ist danach der »Teufel«, der Dämon Sanchos, dessen er sich entledigen muß, und so wird er zum Hauptlieferanten der verruchten Ritterromane, die dem Don den Kopf verdrehen. Sancho also ist der Anreger der ritterlichen Tollheiten, die er dann aus einem gewissen Schuldgefühl geduldig und zugleich amüsiert mitmacht. So bildet der Autor Cervantes, sein Geschöpf Sancho und die von diesem bewirkte Welt Don Quixotes ein einheitliches schöpferisches System, darin tragische Parodien einander wechselseitig erzeugen und zugleich parodieren. Nicht nur also bringt der Schöpfer das Geschöpf hervor, sondern dieses wiederum erzeugt das Medium, das rückwirkend den Schöpfer selbst am Leben erhält, ein circulus, der ebendadurch daß er vitiosus ist und nicht enden kann, parodistisch und grotesk wirkt. Die Reden über der Leiche und dem dichterischen Vermächtnis des Grisostomo sind die sehr ernstzunehmenden parodistischen Metaphern dieser Tragigroteske. Der vitiöse Zirkel könnte nur durch Selbstmord aufgehoben werden, als welcher sich die Vernichtung der Manuskripte darbieten würde. Der dem Freunde zur indirekten Vollstreckung auferlegte geistige Selbstmord folgt postum dem körperlichen Sterben, das allein nicht genügen kann.

Der Bericht über das Schicksal der Grisostomo-Manuskripte wird hier nicht etwa zitiert, um auf Max Brod als Testamentsvollstrecker Kafkas vindizierend anzuspielen, der ja vor der Geistes- und Literaturgeschichte keiner Rechtfertigung bedarf. Erkenntnisse und Aussagen menschlichen Genies tragen öffentlichen Charakter, da das Genie kein Privateigentum seiner selbst ist. »Ich habe mich nicht gemacht«, erklärte Goethe. Die Materie, seit den Kirchenvätern tief angefochten als Besitz einzelner, mag vielleicht unter solchem Aspekt einer Kontroverse unterliegen; das Genie jedoch nicht. Man »erwirbt« es nicht, weshalb man es auch nicht im Eigentumssinne besitzt. Jedenfalls ist das Problem privater Verfügbarkeit über geistige Vermächtnisse, falls es überhaupt eines sein kann, von alters her diskutabel gewesen, was ja auch Cervantes selbst durch seinen Hinweis auf Virgil betont. Besonders beachtenswert an seiner Geschichte ist der Umstand, daß der Grisostomo-Nachlaß der Sphäre der persönlichen Anlässe enthoben und seine paradigmatische Bedeutung für Mit- und Nachwelt herausgearbeitet wird, ihr eigentlicher Hauptwert also. Cervantes spricht da pro domo, da ja sein eigenes erzählerisches Werk, mochte es auch nebenher auf das Amüsement der Leser ausgehen – und wir sagen »Amüsement«, nicht Unterhaltung, zumal die Musen und nicht die burleske Absurdität dabei ins Spiel kommen –, einem kritisch-moralischen Daimon verpflichtet war, in dessen Dienst der Autor seine Tiefenpsychologie nicht nur des zeitgenössischen oder spanischen, sondern des Menschen überhaupt stellte.

Unvermeidlich ist es ja, daß jeder Autor zu jedem seiner Werke, ja zu jedem seiner Sätze ambivalent steht, einfach weil ja jede Definition von Phänomenen – und aus solchen Definitionen besteht auch die einfachste Erzählung – ihren eigenen Widerspruch in sich trägt, daher auch ihre grotesken metaphysischen Schatten wirft, von denen abzusehen eine Entstellung der inneren Wirklichkeit bedeuten (und eine unzulängliche Erzählweise kennzeichnen) würde. Ein denkender und verantwortungsbewußter Schriftsteller kann den Erscheinungen der Welt und des Lebens nicht diktatorisch gegenüberstehen und keck bestimmen: »Das und das ist so und so und nicht anders; Roma locuta, causa finita.« Denn er weiß ja, daß er sich in Wirklichkeit überall und andauernd nur auf dem Wege der Erforschung der Erscheinungen befindet und daß jedes seiner Werke immer nur ein Stadium seines nicht enden wollenden und den unvermutetsten kontradiktorischen Abenteuern ausgesetzten Unternehmens bildet. Bringt er ein Werk an die Öffentlichkeit, so kann er mit gutem Gewissen höchstens sagen: so weit hat es bisher gelangt. Seines Werkes Bedeutung für die Leser hängt dann zum guten Teil von dem Maße des Vertrauens ab, das sie ihm zugestehen. Sein Leben und seine Persönlichkeit sind sonach zweifellos auch ein Teil seines Werkes. Und die Implikation neuerer Literaturforschung, die biographischen Tatbestände einer dichterischen Existenz könnten von deren Werk abgelöst werden, das allein für Erkenntnis und Bedeutung des Geschaffenen maßgebend sei, ist abwegig.

Nun ist aber keineswegs ausgeschlossen, daß ein Autor bei einer weiteren Wegkreuzung seiner Forschungsfahrt in einer überraschend anderen Richtung weiterzieht. Ein solcher Widerspruch kann zur Entwicklung gehören und muß nicht unbedingt als charakterlich deteriorierend beurteilt werden. Denn der Autor ist ja keine statische Erscheinung, er ist lebendig, also sich wandelnd. Innerhalb eines und desselben Werkes ist es sogar möglich, einander widerstreitende Feststellungen zu machen und dennoch im ganzen im Recht zu sein. Eine aus lauter negativen Charakterzügen gebildete Personalität vermöchte als Gesamterscheinung dennoch tugendhaft zu wirken; und ein in tausend Einzelfällen Gutes vollbringender Mensch könnte doch in seiner Totalität nichtswürdig sein. Daher ist das Gewissen des Autors immer von Zweifeln durchtränkt, Unsicherheit erfüllt ihn, und er steht seinem Werk nicht bloß etwa stilistisch ambivalent gegenüber. Ja, die Einschränkung von »nicht bloß etwa stilistisch« ist ja eigentlich gar nicht zulässig, weil »der Stil der Mensch ist« und also auch das Werk und weil es da eine Trennung gar nicht geben kann. Wenn also jemand an seinem eigenen Stil und Werk zweifelt, so zweifelt er an sich selbst, an seinem innersten Wesen. Jedoch wie bedeutsam in der Ausstrahlung ein Buch oder auch nur ein Satz oder eine Wortprägung in Wirklichkeit ist, weiß der Autor selbst niemals mit vollkommener Gewißheit. Denn dies hängt von zeitlichen und räumlichen Voraussetzungen, von der Auffassungskraft der Leser, kurz von variablen und zyklisch bedingten Faktoren ab, die sinnverändernd wirken können. Ja, die Sprache selbst, die eigenste Sprache des Dichters enthält in sich verwandelnde, vertiefende oder veräußerlichende Kräfte, die unter einem lebendigen Eigenwillen aktiv sind und eine Erkenntnis, eine dargestellte Erscheinung steigern oder herabmindern können, ohne daß der Autor selbst darüber ohne weiteres Gewalt hätte. Nichts Vorgestelltes oder Gedachtes, Empfundenes, Erlebtes, Gefühltes deckt sich jemals vollständig mit seinem Wortsymbol oder einer Satzkonstruktion auch nur der eigenen Sprache, und es ist eine Binsenwahrheit, daß – um nur zwei Grundwörter zu nehmen – »Liebe« oder »Freiheit« in jeder der ungezählten Sprachen und Sprachabwandlungen der Erde irgend etwas Verschiedenes bedeuten und nur für Holz- oder Hohlköpfe dasselbe. Wenn nun gar die außerhalb der schöpferischen Literatur (oder überhaupt Kunst welcher Art immer) Lebenden dafür halten, der Schaffende vollziehe mit seinem Werk einen Akt seines unabhängigen Willens, so ist dies eben nur eine naive Vermutung. Und gemeint sind hier nicht die zwar vielleicht ärgerlichen, aber doch im Grunde für ein Werk bedeutungslosen, lächerlichen, törichten und kindischen Eingriffe irgendeiner politischen, moralischen oder sonstigen Zensur. Die Rede ist von dem sonst durch keinerlei zeitbedingte Äußerlichkeiten beeinträchtigten Verhältnis des Autors zum Werke während seines Entstehungsprozesses. Dabei gibt es weniger persönlichen freien Willen, weniger Möglichkeiten irgendeiner Wahl, als sonst bei allen anderen menschlichen Betätigungen oder Verhaltensweisen. Gerade dies ist es ja eigentlich auch, was den Dichter, den Schriftsteller (und ich meine hier nicht den Dichterling oder Schreiberling) in seine tief einsame Ausnahmestellung inmitten aller anderen Menschen versetzt. Notwendigkeiten äußeren Zwangs, berufliche, politische, familienbedingte Krankheiten und »unedles Unglück« (Ausdruck von Max Brod) mögen den Autor ebenso bedrängen wie jeden anderen Menschen und mögen die Freiheit seiner Entschlüsse buchstäblich auf das übliche Minimum einschränken. Darüber hinaus – und das ist sein Sonderschicksal – steht er noch mit seinem »Allerfreiesten« unter Notwendigkeiten, die undefinierbar sind, unterliegt untabulierten Gesetzen, ist angeklagt vor den heimlichen Gerichten des Stils und der Sprache, die von allen anderen leichthin und mit Selbstverständlichkeit gebraucht wird. In der Sprache Goethes oder Hölderlins kauft sich der Spießer seine Äpfel oder glaubt zumindest, es sei die gleiche Sprache, und hierin eben liegt die Kluft, liegt der Irrtum.

Nur ebenerdige Logik vermutet, der Künstler folge seiner vorentworfenen Blaupause und verwirkliche am

Ende einen vorgesteckten Plan oder komme zumindest dieser Verwirklichung nahe. Aber das Kunstwerk wie der Mensch selbst hat ein nur sehr bedingt von der Person aus bestimmbares Schicksal, über dem eine inkalkulable Moira schwebt, und so mag es geschehen – und geschieht sehr oft, und ganz bestimmt ereignete es sich bei den größeren Vorhaben Kafkas –, daß das Kunstwerk sich nicht nur unabhängig vom Schöpfer, sondern geradezu diametral gegen ihn entwickelt. Hier liegt einer der Hauptgründe der Ambivalenz des Autors gegenüber seinem Werk, die bei Kafka – und nicht nur bei ihm – in gewissen Augenblicken bis zur Vernichtungsabsicht gehen kann, wie uns dies ja auch des Cervantes Bericht über die Manuskripte des Grisostomo anzeigt. Und wenn (wie schon oben zitiert) Goethe (zu Eckermann, 30. März 1824) bemerkt: »ich habe mich nicht gemacht« und diese Feststellung dadurch noch unterstreicht, daß er hinzufügt, auch Shakespeare habe sich nicht gemacht, so betont er hiemit das autonome Dasein des Kunstwerks, das aber doch zugleich mit dem Schöpfer identisch bleibt wie das Ebenbild Gottes im Verhältnis zu Gott, der seine Verwerfung beschließen kann, obwohl er es schuf. Dies eben ist der Konflikt und Quell der unvermeidlichen Ambivalenzqual.

Man muß nicht erst ein Kafka sein, um zu ahnen, daß es in jedem Menschen, in jedem Ding und überhaupt in jeder Wesenheit mehr Einbehaltenes und Geheimes gibt als Offenbares. Das ahnt sich leicht, aber es kennt sich nur schwer und bruchstückweise, und solches fragmentarische Erkennen ist ja wohl auch mit einer der Gründe des Fragmentarismus der Aussagen und auch dafür, daß die Überzeugungskraft eines Werkes, ja eines Satzes, weniger in dem liegen mag, was er ausspricht, als in dem, was er ausspart, wobei sogar das Wesen des Einbehaltenen und Verborgenen dem des Offenbaren völlig entgegengesetzt sein kann. Deshalb ist der Beruf des Dichters so schwer, so gefährlich und so labyrinthisch. Und deshalb sind Autoren, die durch tiefe dichterische Schaffenserfahrungen gegangen sind, meist geneigt, jungen Adepten der Literatur das Betreten dieser Labyrinthe zu widerraten. Denn eines ist es, mit unsagbarer Lust einen vollendeten Satz niederzuschreiben, einen Charakter zu gestalten, ein Ereignis in Bewegung zu setzen; ein anderes aber, dies alles im sinnbildlichen Gleichgewicht mit der Gesamtheit des Menschendaseins zu halten und sich den Ariadnefaden der Wiederkehr nicht entgleiten zu lassen. Die Vorstellung: Ich kann nicht zurückkehren, ich bin mit meinen Gebilden für immer von aller Welt getrennt – vielleicht gerade deshalb, weil ich diese Welt zu scharf, zu brennend klar verdeutlicht habe –, diese Vorstellung ist die vierte, die mythologisch nicht verzeichnete Erinnye, die Verfolgerin eben der Dichter. Dagegen sind die Mühsamkeiten des Autors mit Verlegern, Kritikern, Publikum und dergleichen nur geringfügiges »unedles« Unglück ohne wirkliche Bedeutung.

Weder qualvolle Inhalte noch persönliche Lebensqualen – sei es der Liebe oder der Physis oder der Entscheidungskonflikte – würden der Annahme widersprechen, Kafka habe lustvoll geschaffen. Wer eine masochistische Selbstquälerei in seinen Schaffensprozessen vermuten würde, der irrt, und dies am wenigsten wegen des Humors oder der Ironie, die in dem Parabolischen der Darstellung aufleuchten. Jedes Schaffen ist ja doch immer das Erheben eines Geordneten aus einem Chaos, womit das Chaos aber nicht etwa vollständig negiert, sondern nur der Beweis erbracht erscheint, daß es die Möglichkeit eines Geordneten in sich enthalte. Auch der umgekehrte Vorgang wäre durchaus legitim. Aber der Schaffensprozeß, der etwa die Qualen Macbeths, oder jener, der die der Karamasow-Brüder gestaltete, ist kein Zustand der Qual, sondern deren großartige und begeisterte Transfiguration. In diesem Sinne ist die Türhütergeschichte oder die von der kaiserlichen Botschaft, die den schier unübersetzbaren oder mit »Vergeblichkeit« nur unzureichend wiedergegebenen Begriff der »Frustration« – ebenso wie der größere Teil der übrigen Schriften Kafkas – quälend zum Ausdruck bringen, dennoch mit unendlicher Schöpferlust geschrieben. Nicht etwa weil sich Kafka an der Qual der prospektiven Leser geweidet hätte, sondern lustvoll in dem Erkennen: »Jetzt hab ich es heraus! So und nicht anders ist und verläuft das Dasein! Ich bin dem Urphänomen auf die Spur geraten!« Auch ein immer neues Niederschreiben, immer wieder andere Fassungen des gleichen Themas, nicht enden wollendes Feilen und Durchkorrigieren von Entwürfen ist nicht Qual, sondern immer neue Umarmung und Liebkosung, ein begieriges Lebenderhalten. Nur was man nicht mehr berührt, wird starr und statuarisch, nur wo man immerzu noch ändern zu sollen glaubt, pulsiert das Leben. Und wenn ein Autor von seinem Thema nicht fortkommt, es immer wieder vornimmt und von allen Seiten beleuchtet, kein Ende mit ihm findet, beweist dies ja nur, wie maßlos er es liebt. Wenn er dabei »leidet«, so sind dies eben die Leiden der Liebe, denen auch der Glücklichste unter den Liebenden unvermeidlich unterliegt.

Bleibt die Frage offen, ob die Liebe zureicht, ob sie dem Geliebten genugtut, ob die große Transfiguration gelungen ist und ob man überhaupt der Berufene sei, sie zu vollziehen. Welcher Autor mit Verantwortungsbewußtsein könnte diesem ambivalenten Zweifel entrinnen?

Weder Flaubert noch Ibsen ist ihm entronnen, nicht einmal Goethe, der erklärte »Liebling der Musen und Grazien«, um nur drei starke dichterische Naturen anzuführen. Hinzutreten müssen aber die begründeten Befürchtungen über das Schicksal des Werkes bei seinen Empfängern und das Schicksal der Leser, über die das Werk gleichsam als Verhängnis hereinbricht. Hier lauern im Hinterhalt Mißbrauch und Mißdeutung, die wir ja gerade in unseren Tagen in Verbindung mit Autoren höchsten Ranges erleben mußten, z. B. mit Schiller, Hölderlin, Stifter, Nietzsche oder George. Freilich ließe sich sagen, es sei beinahe ein Zeichen der Belanglosigkeit, ausnahmslos gebilligt oder nie von Unberufenen mißdeutet zu werden. Gedankengut ist vagierend und gelangt wie Banknoten an die Redlichen wie auch an die Unwürdigen (meistens an diese) und wird an das Notwendige und Sinnvolle seltener gewendet als an das Überflüssige und Widersinnige. Und ebenso wird ja auch Gedankengut geraubt, gestohlen, ausgeliehen und unterschlagen. Und wenn auch gerade das letztere noch das geringste Unglück bedeutet, geringer jedenfalls als die unerlaubte Legierung mit den minderwertigen Metallen des Mittelmaßes, so kann man als Autor schon eine tüchtige Angst bekommen vor allem, was man jemals gesagt oder sogar bloß gedacht hat, sogar vor den eigenen Hoffnungen und Träumen, die man selbst mit der Kraft ausstattete, sich wider einen fürchterlich zu erheben. Und wer an die Ewigkeit der Seele glaubt und den physischen Tod nicht primitiv für das »Ende sans Phrase« hält, dem mag vor seinem literarischen Nachlaß um so mehr schaudern, je bedeutender er ist. Unverlöschlich aber bleibt, daß Kafka als Lesefrucht seiner Goethestudien in seinem Tagebuch den Satz hervorhob: »Meine Lust am Hervorbringen war grenzenlos.« (8. Febr. 1912).

Mochte die Hauptmasse des Niedergeschriebenen auch dem Nachlaß zugehören, so hatte Kafka doch, als er sein Ende kommen sah, mehr veröffentlicht, als man sich im allgemeinen gegenwärtig hält. Nichts aber ist für einen Schriftsteller so irritierend wie der Anblick oder das Vorstellungsbild seiner bereits veröffentlichten Werke, das sich aufdrängende Bewußtsein des scheinbar Abgeschlossenen, Definitiven und Unwiderruflichen. Denn selbst wenn ein Widerruf möglich würde und sich ergäbe, so wäre ja auch dieser nicht vollkommen und nicht glaubwürdiger als das Erstgesagte und nicht gefeit vor einem abermaligen Widerruf. Die Vorstellung des Definitivums aber ist ja deshalb aufregend, weil niemand so sehr wie der Autor selbst um den inhärenten Fragmentarismus jeglicher Aussage weiß. Inmitten der Bekanntheit, der Anerkennung und des Ruhms bewirkt dies seine Einsamkeit. Wer aber glaubt, Kafka wäre zu Lebzeiten nicht »berühmt« gewesen, der irrt. Freilich war er nicht berühmt in der Art jenes Kafka, der heute so viele seiner Interpretatoren berühmt macht. Der existierte in Wirklichkeit gar nicht oder nur zu sehr geringem Teil. Aber der Lebende hatte die undefinierbaren Kriterien des selbstverständlichen Ruhmes und der ungezwungenen Bedeutung, die einer literarischen Bestätigung nicht bedarf und die jeder, ausnahmslos jeder spürte, der ihn zu lesen verstand oder gar mit ihm in persönlichen Kontakt kam, und hätte dieser auch nur in einem Straßengespräch von drei Minuten bestanden. Andrerseits glaube ich, daß Kafka, hätte er selbst die gegenwärtige Art seines Ruhmes erlebt, ihr standgehalten hätte, da die drei Erinnyen des Geltungstriebs, der Unersättlichkeit und des Größenwahns, die sonst für gewöhnlich den Ruhm begleiten, nicht die geringste Macht über ihn hätten gewinnen können und da er nicht nach jenem literarischen Zenith strebte, von dem es doch nur ein Abwärts gibt, einen Niederbruch. Denn langsam fällt man nicht, man stürzt.

Man hat die Prosa Kafkas fast gewohnheitsgemäß immer wieder »meisterhaft« genannt, obwohl man auch vereinzelte Einwände gegen seine Sprechweise erhob, von gelegentlicher tschechischer Akzentuierung und eingeglittenen tschechisch-pragerischen Wendungen sprach. Es soll hier nicht vergleichsweise untersucht werden, welcherlei Akzentuierungen oder eingeglittene Wendungen bei anderen bedeutenden Prosaisten deutscher Sprache, nicht bloß in den verschiedenen Grenzgemarkungen im Osten, Süden oder Westen oder an der Waterkant, sondern auch in den zentralen Regionen des deutschen Sprachbereichs verzeichnet werden könnten. Kafka würde da auch gegenüber den »besten Deutschen« höchst ansehnlich bestehen, und von der besonderen Würde des Prager Deutsch war ja bereits an anderer Stelle dieses Buches die Rede. Indessen wird Prosa nur dann meisterhaft, wenn sie eine Prosa der Ideen ist, wenn in Wahrheit jedes Wort, sogar eine einfache Kopula, ein Adverb oder ein Pronomen und nicht nur ein Substantivum oder Verbum eine Idee ist. Dies allein kann die Form ergeben. Echte Dichtersprache operiert ausschließlich »in abstractis«, Bloß-Äußerliches kann es in ihr nicht geben. Eine undurchlebte, undurchfühlte und ungedankliche Prosa ist sofort daran erkennbar, daß nur Verbum und Substantivum wirkliche Funktionen haben, daß aber alle übrigen Wörter leblos und gleichsam nur als Stützen oder Bindfäden zwischengeschaltet erscheinen. Dies hat zur Folge, daß der ganze Satz nicht pulsiert, sondern nur hampelmännisch umherdirigiert wird. Er bewegt sich nur, wenn die Absichten des Spielers (Lesers) an den Schnüren ziehen. Am lebendigen Leib eines Satzes aber ist (wie am lebendigen Leib eines Menschen) auch die geringste seiner Einzelheiten von Wichtigkeit, und wenn sie krankt, ist eben das Ganze affiziert. Zugleich aber ist auch immer zu bedenken, daß ja ein jedes Wort hinter seinen äußeren Schauflächen, mit denen seine unmittelbaren Bezeichnungskräfte gegeben sind, auch noch jene Geheiminhalte aufweist, die unter Umständen das Gegenteil der Schaufläche bedeuten können. So ist Kafkas Bemerkung, jede Zeile, die er schreibe, sei vollkommen, eher ein Zeichen seiner Ambivalenz als irgendeiner Selbstsicherheit der Sprache gegenüber. Ich sage: »eher«, denn »eher« besteht aus zwei Sphären, von denen die zweite der natürlichen Kenntnis des eigenen Status entspricht, die der Denkende seinem Zweifel »als Schild entgegenhält«, dessen er sich bedient, wenn er nicht kleinmütig ist. Und Kafka war demütig, aber nicht kleinmütig, wie er ja auch hochgemut, aber nicht hochmütig war.

Selbstverständlich gehört Ironie auch in ihrer gewöhnlichen Form zur Symptomatik der Ambivalenz und bildet ein zeitweiliges Rettungsmittel gegen kleine wie bedeutende Konfrontationen, denen man sonst hilflos gegenüberstünde. Eine vom betrachtenden Subjekt ablösbare, ironische Note gibt es nicht. Jede Verhaltensweise kann vermöge der erkannten Absonderung von verbürgten Zusammenhängen oder von dem sonst etablierten Gesamtduktus jener Verhaltensweise komisch oder grotesk und daher Objekt der Ironie bzw. der Satire werden, die solcherlei Isolationen durch Unterstreichung hervorhebt. Kafkas Ironie geht aber insoferne noch viel tiefer unter die bloße grelle Diskrepanz der Kontraste, als sie die Existenz der Phänomene an sich betrifft, die gleichsam erbsündlich schon dadurch, daß sie überhaupt vorhanden sind, disparat und fehl am Platz erscheinen, und zwar weil sie gleichzeitig isoliert und gemeinschaftlich bestehen möchten, dieses aber niemals vermögen. Dies ist ihre höchste Tragik und zugleich ihre höchste Bizarrerie. Auf solcher Spitze der Betrachtung aber wird dem Betrachter selbst das Balancieren deshalb schon fast unmöglich, weil diese Spitze bereits als äußerster Punkt dem Abstrakten mit angehört, weshalb er denn von dort aus gegenüber dem Werkprozeß, der ihn zu solcher Höhe führte, zweifelnd und ambivalent werden muß und nun der Ironie gegenüber den Phänomenen auch noch die Selbstironie aufprojiziert.

Kehren wir zu dem »ingeniösen« Hidalgo Don Quixote zurück, der vielleicht die höchste Aufgipfelung aller Ironie in der Prosaliteratur der Nationen darstellt und gemeiniglich dahin gedeutet wird, es mache sich einer lächerlich, der hohen Idealen zu folgen glaube, indem er Vergangenes und Totes auf Gegenwärtiges und Lebendiges applizieren möchte. Aber nicht der »irrende« Ritter, sondern der »gesunde« Menschenverstand unterliegt hier der Ironie. Denn der Ritter verficht die reinen Ideen (in Symbolform), vermöge derer der Mensch als Mensch besteht und gerechtfertigt ist; die »gesunde« ratio hingegen steht im Dienste der plumpen Physis, die das Ideal mit derben Fäusten zu widerlegen sucht, also den Menschen entmenschen und dadurch aufheben möchte, wobei sie lächerlich wird, zumal sie sich selbst mit aufhebt. Das anscheinend Groteske (der Idealismus) ist in Wahrheit das Ernste, während das sich vernünftig Gebärdende jämmerlich und minderwertig bleibt. Daß der Ritter als Verteidiger des Guten und der Bedrängten zum verprügelten und verlachten Opfer wird, gehört zum Wesen des Gerecht-sein-Wollens, das allerwegen als die größte der unrealistischen Narrheiten betrachtet wird. Der Athener, der beim Scherbengericht seine Stimme für die Verbannung des Aristides, den er überhaupt nicht kennt, einzig deshalb abgibt, weil es ihn ärgert, daß dieser allgemein als der »Gerechte« gilt, ist hiefür typisch. Wer so wie Aristides ist, sondert sich eben von der Art aller ab, die ihn bezichtigen, er wolle sich über sie stellen, bloß weil er wirklich über ihnen steht. Wer die Gesetze befolgt, statt sie dem Brauche gemäß zu brechen, der ist der eigentliche Missetäter.

Cervantes läßt seinen Ritter in dessen Todesstunde allen seinen Tollheiten abschwören, was in übertragener Form dem Auftrag gleichkommt, seine ideologische Hinterlassenschaft zu vernichten. Dieses Abschwören allerdings hat einen Widerhaken. Denn Don Quixote weiß, daß es bereits einen Nachlaßvollstrecker gibt, einen Schriftsteller, der eine Geschichte der Taten des Ritters niederschrieb, und daß daher sein Widerruf die längst abgefaßte und erhärtete Chronik seiner Abenteuer nicht mehr aus der Welt schaffen kann. Daher denn bittet er seinen Autor und Schöpfer in aller Form um Vergebung dafür, zum Stoff und Helden seines Romanes geworden zu sein. Damit hätte die Selbstironie ihren allerhöchsten Grad, ihre vollendetste Romantik erreicht. Kafka war zwar ein realistischer, aber zugleich auch ein romantischer Prosaist, dessen Romantizismus eine manieristische Metaphorik der Realität zur Ausflucht nahm. Cervantes schrieb den Don Quixote im Gefängnis, an einem Orte – wie er sagt – der Unruhe, der Betrübnis und des Jammers. Franz Kafka schrieb seine Werke inmitten des Europa und der Daseinsform des ersten Viertels unseres Jahrhunderts, aus der bürokratischen Schrankenwelt eines bereits ratlosen Bürgertums, das nur noch in den Gittern, mit denen es sich umschloß, sicher zu sein glaubte.

Nachwort

Sekundärliteratur zu Franz Kafka gibt es mehr als genug. Seine seltsame, im Grunde nirgendwo einzuordnende literarische Welt, sein zum Teil rätselhafter oder – für manche – schwer zu erklärender Lebensweg zwischen nüchtern-juristischer Amtswelt und den Traumphantasien seiner Nächte, dazu die Tatsache, daß sich die posthume Rezeption seines Werkes (nicht zuletzt in Amerika) mit der Hochblüte der Psychoanalyse zeitlich deckt, haben zu einer Flut von Deutungen des Werkes Kafkas geführt, zum Teil zu Deutungen, über die Kafka vermutlich erstaunt, wenn nicht belustigt gewesen wäre. Urzidil warnt dazu, daß Kafka sehr oft Ironisches ernsthaft, Ernsthaftes aber ironisch gemeint habe, auch in dem (füge ich hinzu), was er schrieb, und selbst darauf konnte man sich nicht verlassen, denn manchmal, so Urzidil, meint Kafka Ernsthaftes doch ernsthaft und Ironisches ironisch. Man kann nicht vorsichtig genug sein mit Ausdeutungen von Kafkas Werken. Manche der Kafka-Adepten wie beispielsweise Eduard Goldstücker, haben sich nicht daran gehalten – im Gegensatz zu Urzidil, der sich im vorliegenden Buch als ein scharfsinniger Kafka-Kenner erweist.

Urzidil kannte auch Kafkas Freund Max Brod und tut in einer Bescheidenheit, die das ganze Buch auszeichnet, Brod alle Ehre an – vielleicht sogar zuviel. Sicher war Brod einer der besten und engsten Freunde Kafkas, beinahe gleich alt (Kafka 1883, Brod 1884 geboren), und er hat sich viel um die posthume Verbreitung von Kafkas Ruhm verdient gemacht. Urzidil widmet ein Kapitel der Tatsache, daß Kafka Brod gegenüber geäußert habe, sein literarischer Nachlaß sei nach seinem Tode zu vernichten, wobei Urzidil wie nebenbei eine wunderbar einfühlsame Parallele zu einer Episode bei Cervantes und überhaupt Parallelen zwischen den Werken von Kafka und Cervantes zieht. Brod hat sich nicht an das Verdikt Kafkas gegen sein eigenes Werk gehalten. Ein Glück – aber erstens: wer hätte als Nachlaßverwalter gewagt, sich daran zu halten und zweitens stammte die fragliche Äußerung Kafkas aus relativ früher Zeit. Er hat selber danach Arbeiten veröffentlicht und das Verdikt nie wiederholt, geschweige denn testamentarisch verfügt.

Dennoch bleibt Brods Verdienst unbenommen, aber – worauf Urzidil nicht eingeht – es bleibt ein Rest Unbehagen. Brod, der in seinen eigenen literarischen Arbeiten Kafkas Rang bei weitem nicht erreicht, was unbestritten sein dürfte, hat tief einschneidend und vermeintlich ordnend bei der Herausgabe von

Kafkas Werken in diese eingegriffen und eifersüchtig darüber gewacht, daß nur seine Version, seine Überarbeitung der Werke des Freundes verbreitet wurde. Erst der in diesem Fall höchst wünschenswert gewesene Ablauf der Urheberrechts-Schutzfrist 1994 machte eine bereinigte Ausgabe möglich. Erst seitdem kennt man eigentlich den wahren Kafka. Urzidil hat, leider, diese bereinigte Ausgabe nicht mehr kennengelernt.

Urzidils Bescheidenheit wurde schon erwähnt. Der Titel seines hier vorliegenden Kafka-Buches »Da geht Kafka« (zusammengefügt zum Teil aus verstreuten Vorträgen und Schriften) ist die Bescheidenheit selber, denn er tut so, als habe Urzidil den 13 Jahre älteren Kafka nur immer von Ferne gesehen und bewundert. Dabei war Urzidil, ungeachtet des beachtlichen Altersunterschiedes angesichts der relativen Jugend der beiden, ein offensichtlich ganz enger Vertrauter Kafkas. Die Tatsache, daß Urzidils Frau Gertrude die Schwester jenes Friedrich Thieberger war, der Kafka das Hebräische, die Sprache seiner jüdischen Religion, lehrte, verschaffte Urzidil die Möglichkeit, einen Blick in das Innere Kafkas zu tun, wenn man so sagen darf. Auch Thieberger ist in Urzidils Buch breiter Raum gewidmet – nur Urzidil selber nicht. Man hat den Eindruck, Urzidil habe sich selber nur dann erwähnt, wenn es unumgänglich notwendig war und auch da noch ungern. Nicht zuletzt dies macht das Buch liebenswürdig, anrührend und sympathisch.

Johannes Urzidil, am 3. Februar 1896 in Prag geboren, war, wie sein Name sagt, tschechischer Abkunft (was er nie in Frage stellte oder bedauerte), bezeichnete sich aber als »Böhme«, seine Heimat als »Böhmen«, Deutsch war seine Muttersprache, er gehörte zur kosmopolitischen zwei- oder gar dreisprachigen Prager Literaturszene, dieser seltsamen, wundersamen Blüte, die in dieser Weltstadt, die Prag damals war, so gegensätzliche Gestalten wie Rilke und eben Kafka hervorgebracht hat.

Urzidil hat nach einem Studium der Germanistik, Slawistik und Kunstgeschichte und nach dem Kriegsdienst unter anderem bei dem seinerzeit hochbedeutenden, deutschsprachigen »Prager Tagblatt« gearbeitet, dem Friedrich Torberg, der letzte aus dem Stamm dieses Genie-Brutkastens, in seinen »Tante Jolesch«-Büchern ein Denkmal gesetzt hat.

Obwohl der junge Urzidil zunächst mit expressionistischer Lyrik hervorgetreten ist (ein Gedichtband von 1919 trägt den dementsprechend schreienden Titel »Sturz der Verdammten«), war und blieb seine Stärke das Erzählen, das schlichte, grade Erzählen. Heinz Politzer, der Wiener-amerikanische oder amerikanisch-wienerische Germanist, der Urzidil gut gekannt hat, nennt ihn einen »Naturerzähler«, und zwar nicht in dem Sinn, daß Naturschilderungen und -betrachtungen stifterscher Art Urzidils Sache gewesen wären, sondern in dem Sinn, daß er ein Erzähler von Natur aus war, daß das Erzählen seine Natur war, das unverstellte, unallegorische, im besten und höchsten Sinn unterhaltende Erzählen. Und so sind seine besten und typischsten Werke (neben den hier vorliegenden Essays und seiner großen Studie »Goethe in Böhmen«) seine Erzählungen, zusammengefaßt in mehreren, leider samt und sonders vergriffenen Sammelbänden wie »Morgen fahr' ich heim. Böhmische Erzähungen«, »Die verlorene Geliebte«, »Das Elefantenblatt« und in gewissem Sinne das »Prager Triptychon«. Roman hat er meines Wissens – entgegen manchen Angaben in Nachschlagewerken – nur einen geschrieben: »Das große Hallelluja«.

1939 mußte Urzidil – als »jüdisch versippt« - emigrieren. Es gelang ihm die Ausreise über Italien nach England und danach in die USA, wo er später naturalisiert wurde und wohnhaft blieb. Er kehrte aber oft nach Europa zu Lesereisen, zur Entgegennahme verdienter Ehrungen usw. zurück, starb auch auf einer eben solchen Reise am 2. November 1970 in Rom.

Nun liegt Urzidils Kafka-Buch wieder vor und schenkt uns, die wir dafür dankbar sein sollten, einen reinen Kafka aus Urzidils freundlichem Blick.

Herbert Rosendorfer im Dezember 2003

Nachbemerkung

Im Prag des Expressionismus erschien in ›Imprimatur‹, Jahrbuch für Bücherfreunde, Neue Folge, Bd. III, 1961/62, hg. v. d. Gesellschaft der Bibliophilen, Frankfurt/Main. Ferner in ›Wort in der Zeit‹, Jg. IX, Nr. 7, Wien, Juli 1963.

Edison und Kafka erschien in ›Der Monat‹, Berlin, Juni 1961. Ferner französisch (›L'Amérique rêvée par Kafka‹, trad. par Martha Robert) in ›Preuves‹, Paris, Juli 1962.

Das Reich des Unerreichbaren erschien in ›The Germanic Review‹, New York, publ. by Columbia University Press, Oktober 1961. Ferner im Auswahlband ›Johannes Urzidil, Geschenke des Lebens‹, Stiasny-Verlag, Graz 1962 (hg. von Ernst Schönwiese).

Umgang mit Sirenen erschien in ›Merkur‹, XVI. Jg., Heft 8, August 1962, Deutsche Verlagsanstalt, Stuttgart.

Brand erschien in ›Wort und Wahrheit‹, Heft 6/7, Juni/Juli 1964, Verlag Herder, Freiburg im Breisgau.

Golem-Mystik erschien in einer ersten, wesentlich kürzeren Fassung im ›Rheinischen Merkur‹, Köln, 21. Mai 1965.

11. Juni 1924 erschien in ›Merkur‹, XVIII. Jg., Heft 6, Juni 1964, Verlag Kiepenheuer & Witsch, Köln. Ferner französisch (›Le Quarantième Anniversaire de la Mort de Franz Kafka‹ zusammen mit der französischen Übertragung des Auszugs aus Urzidils Gedächtnisrede bei der Totenfeier 1924) in ›Rencontres‹, 2, 1964, Paris.

Rede zum Ehrengedächtnis Franz Kafkas, gehalten von Johannes Urzidil bei der Gedächtnisfeier in Prag am 19. Juni 1924, erschien in ›Das Kunstblatt‹, Berlin, hg. von Paul Westheim, Band VIII, 1924, sowie in dem Sammelbande ›Unsterblicher Genius – Deutsche Dichter im Gedenken ihrer Freunde‹, Hartfrid Voss Verlag, München 1959.

Erzählerisch wurde die Erscheinung Franz Kafkas in folgenden Werken von Johannes Urzidil zur Darstellung gebracht:

›Entführung‹, Artemis Verlag, Zürich, 1964 (in der Erzählung *Kafkas Flucht*).

›Prager Triptychon‹, Albert Langen/Georg Müller, München 1960 (und Deutscher Taschenbuch Verlag, München 1963, Bd. 103), in der Erzählung *Vermächtnis eines Jünglings*, die überdies in dem bei Stiasny, Graz, erschienenen Urzidil-Band ›Geschenke des Lebens‹ enthalten ist.

Verzeichnis der Personen

Franz Kafka